国語

三

上

わかば

わかばを見ると
むねが晴れ晴れする。
ぼくら子どもも　ほんとは
人間《げん》のわかば。
天が、　ほら。
あんなに晴れ晴れしている。
ぼくらを見まもって……。

もくじ

つづけてみよう …… 4

一

本と出会う、友だちと出会う　読む …… 6

きつつきの商売（物語）　林原《はやしばら》 玉枝《たまえ》 …… 9

漢字の音《おん》と訓《くん》　言葉 …… 24

二

まとまりに気をつけて読もう　読む

ありの行列（せつめい文）　大滝《おおたき》 哲也《てつや》 …… 26

国語辞典《じてん》を使おう　言葉 …… 34

わたしと小鳥とすずと（詩）　金子《かねこ》 みすゞ《ず》 …… 38

三

分かりやすく書こう　書く

おもしろいもの、見つけた …… 40

——様子をつたえる …… 45

くわしくする言葉　言葉 …… 46

道あんないをしよう　話す・聞く …… 50

——たしかめながら話す・聞く …… 53

四

本と友だちになろう　読む　書く

三年とうげ（物語）　李《リ》 錦玉《クムオギ》 …… 54

本は友だち …… 64

——本のさがし方 …… 68

日記をつけよう。
何を読んだか書いておこう。
おもしろいこと、ふしぎなこと、何に出会えるかな。
みんながおどろくようなものを、見つけておこう。

キリン（詩）　まど・みちお……70
へんとつくり　言葉……72

五

進んで話し合い、発表しよう
「分類《るい》」ということ　話す・聞く……74
〈資料《しりょう》〉分類……77
——インタビュー……81
反対の意味の言葉　言葉……82

漢字の広場
二年生で習った漢字　①……33　②……49　③……69

ふろく
「たいせつ」のまとめ……84
この本で習《なら》う漢《かん》字……85
これまでに習《なら》った漢《かん》字……90

言葉《ことば》の森……99
聞き耳ずきん　上《かみ》笙一郎《しょういちろう》……100

本のおびを集《あつ》めておこう。
日記が役《やく》に立つね。
4
5
「分類」って、どういうことかな。

つづけてみよう

――日記を書こう

「日記」というのは、その日のできごとや思ったことを書きつけておくものです。くふうして、つづけてみましょう。

●ひとこと日記

四月二十一日（木）晴れ
おばあちゃんから絵はがきが来た。かわいいキタキツネの絵だった。夏休みに行けるといいな。
四月二十五日（月）くもり
はるちゃんと三角公園でなわとびをした。あやとびができた。

わたしは、その日にあったことをみじかい文で書くことにしました。これなら、長くつづけられそう。

すきなスポーツせんしゅのかつやくをつづけて書こう。

○月 ○日（ ）
○月 ○日（ ）

● 読《どく》書日記

四月十三日（水）
「エルマーのぼうけん」
ルース＝スタイルス＝ガネット作
47ページ〜59ページ
〈心にのこったことば・文〉
「しばらくかんでいると、みどりいろになりますよ。それから、それをじめんにまいてごらんなさい。たくさんのチューインガムがなりますから。」
〈思ったこと〉
エルマーは頭がいいなあ。

お花のかんさつ日記にしようかな。

すききらいをなくしたいから、食べたものを書いておこう。

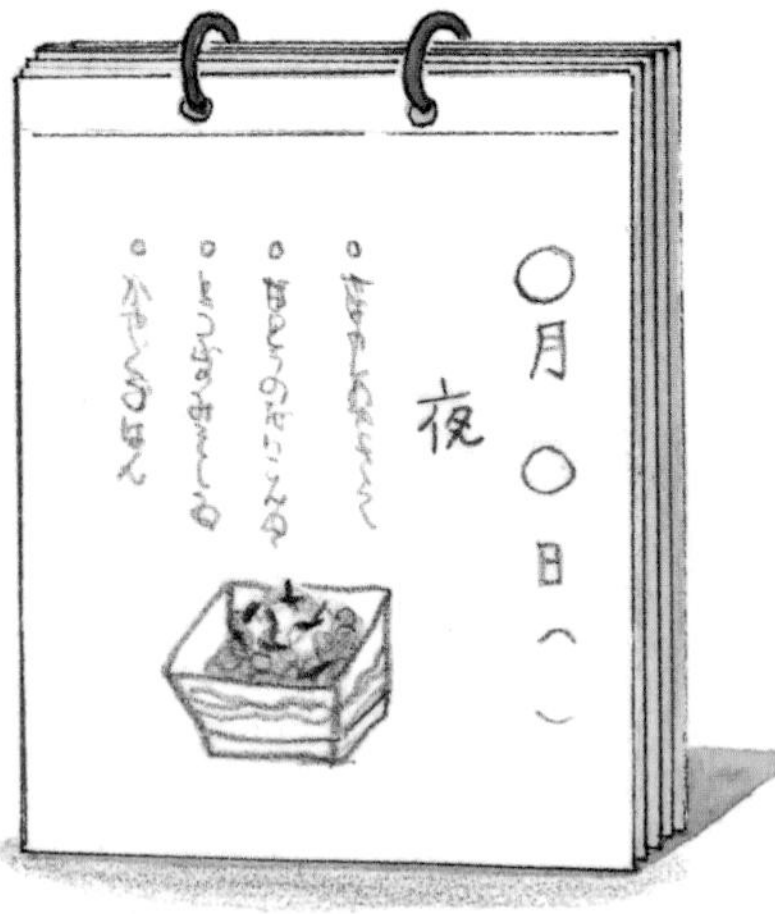
○月
○日（　）
夜

日記をもとに、朝の会などで「ひとことスピーチ」をしてもいいですね。

一　本と出会う、友だちと出会う

読む

森の中で聞こえる音や会話を考えて、友だちといっしょに音読しましょう。

・音読《ドク》

きつつきの商売

林原《はやしばら》玉枝《たまえ》 作
村上《むらかみ》康成《やすなり》 絵

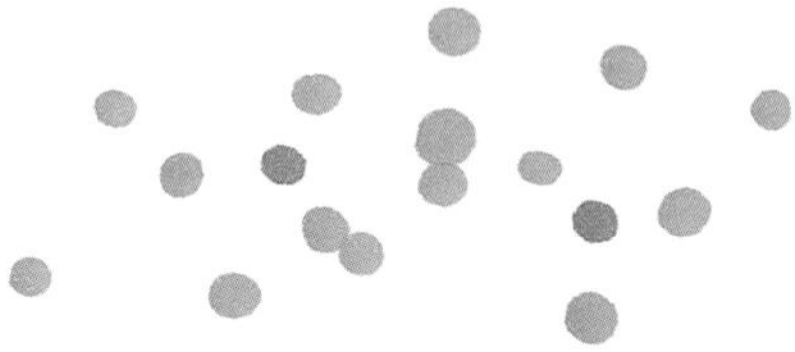

1

きつつきが、お店を開きました。
それはもう、きつつきにぴったりの
お店です。

きつつきは、森じゅうの木の中から、えりすぐりの木を見つけてきて、かんばんをこしらえました。

かんばんにきざんだお店の名前は、こうです。

おとや

それだけでは、なんだか分かりにくいので、きつつきは、その後に、こう書きました。

◦商•売《ショウバイ》
◦開《ひら》く

「できたての音、すてきないい音、お聞かせします。四分音ぷ一こにつき、どれでも百リル。どれでも百リル。」

「へええ。どれでも百リル。どんな音があるのかしら。」

そう言って、真っ先にやって来たのは、茶色い耳をぴんと立てた野うさぎでした。野うさぎは、きつつきのさし出したメニューをじっくりながめて、メニューのいちばんはじっこをゆびさしながら、

「これにするわ。」

と言いました。

ぶなの音です。

「四分音ぷ分、ちょうだい。」

「しょうちしました。では、どうぞこちらへ。」

きつつきは、野うさぎをつれて、ぶなの森にやって来ました。

●四分《ブ》音ぷ
○真《ま》っ先

それから、野うさぎを、大きなぶなの木の下に立たせると、自分は、木のてっぺん近くのみきに止まりました。

「さあ、いきますよ、いいですか。」

きつつきは、木の上から声をかけました。野うさぎは、きつつきを見上げて、こっくりうなずきました。

「では。」

きつつきは、ぶなの木のみきを、くちばしで力いっぱいたたきました。

コーン。

ぶなの木の音が、ぶなの森にこだましました。

野うさぎは、きつつきを見上げたまま、だまって聞いていました。きつつきも、うっとり聞いていました。

四分音ぷ分よりも、うんと長い時間がすぎてゆきました。

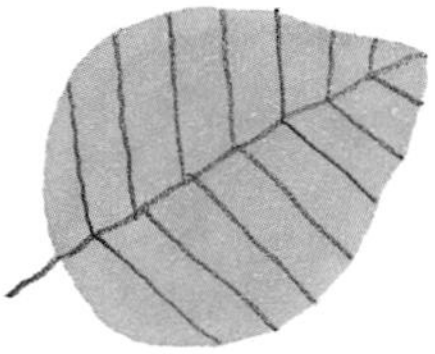

2

ぶなの森に、雨がふりはじめます。

きつつきは、新しいメニューを思いつきました。ぶなの木のうろから顔を出して、空を見上げていると、

「おはよう。きつつきさん。」

「何してるんですか。きつつきさん。」

木の下で、声がしました。

見下ろすと、ぶなの木のねもとに、野ねずみのかぞくが、みんなできつつきを見上げています。

たちつぼすみれの葉っぱのかさをかたにかついで、上を見上げているので、みんな、顔じゅう

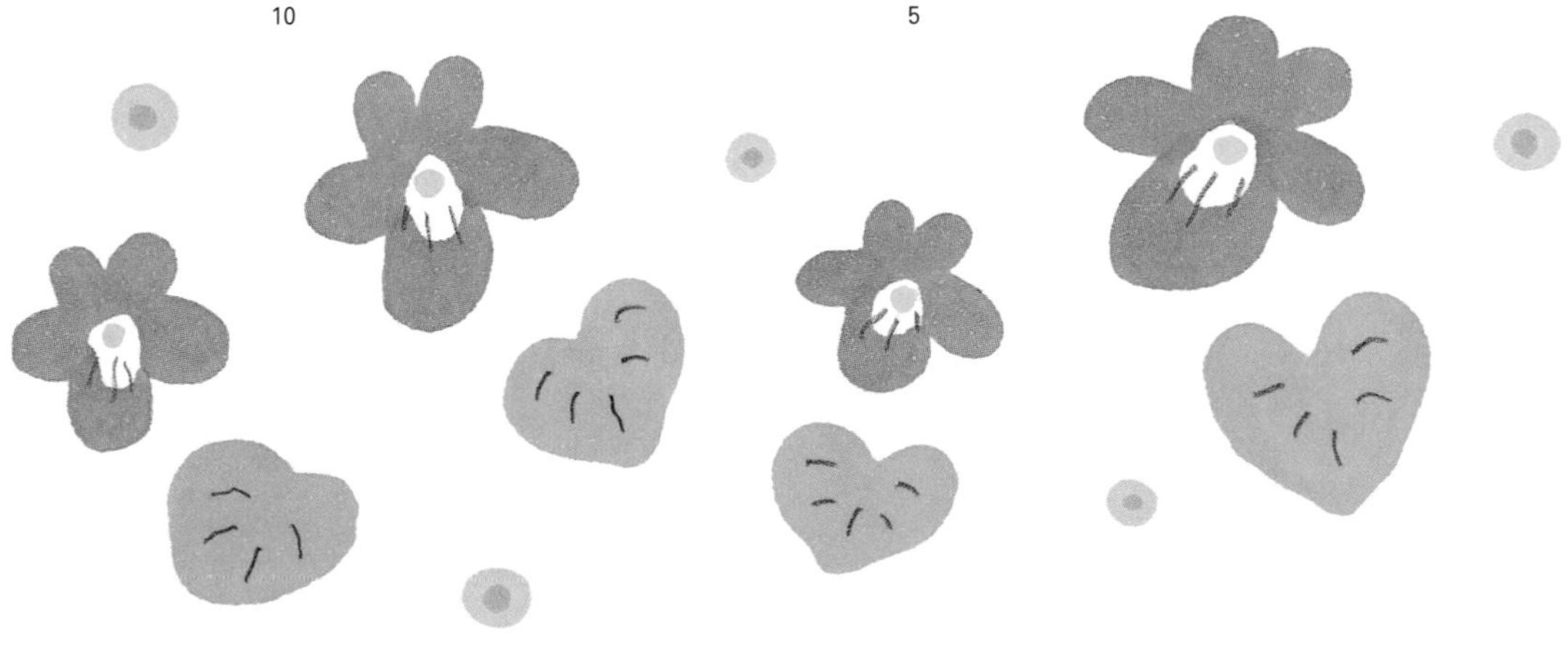

木のうろ
木のみきの中が、空になっているところ。

たちつぼすみれ

葉《は》っぱ。

びしょぬれでした。

「おとやの新しいメニューができたんですよ。」

きつつきは、ぬれた頭をぶるんとふって、言いました。

「へえ。」

「今朝、できたばかりの、できたてです。」

「へえ。」

「でもね、もしかしたら、あしたはできないかもしれないから、メニューに書こうか書くまいか、考えてたんですよ。」

「へえ。じゃあ、とくべつメニューってわけ。」

「そうです。とくとく、とくべつメニュー。」

「そいつはいいなあ。ぼくたちは、うんがいいぞ。」

◆今朝《けさ》

それで、その、とくとく、とくべつメニューも、百リル。」

「いいえ。今日のは、ただです。」

「よかった。ますますうんがいいぞ。ここに、おとやが開店して、すてきないい音を聞かせてもらえるってことは、もうずいぶん前から聞いてたんだけどね。今日やっと、はじめてみんなで来てみたんですよ。」

「朝からの雨で、おせんたくができないものですから。」

母さんねずみが言うと、

「おにわのおそうじも。」

「草の実あつめも。」

•開店《カイテン》

◦実《み》

◆今日《きょう》

◆母《かあ》さん

「草がぬれてて、おすもうもできないよ。」

「かたつむりたちは、できるけど。」

「かたつむりじゃなくて、あまがえるだってば。」

「どっちもだよ。」

子どもたちも、口々に言いました。

「だから、ひとつ、聞かせてください。」

野ねずみのかぞくは、そろって、うれしそうに言いました。

「しょうちしました。」

きつつきは、木のうしろから出て、野ねずみたちのいる場所にとび下りました。

々
同じ字をかさねるときにつかうしるし。おどり字などという。

場所《ショ》。

「さあさあ、しずかにしなさい。おとやさんの、とくとく、とくべつメニューなんだから。」
野ねずみは、野ねずみのおくさんと二人で、ぺちゃくちゃ言ってる子どもたちを、どうにかだまらせてから、きつつきをふりかえって言いました。

「さあ、おねがいいたします。」
「かしこまりました。」
葉っぱのかさをさした十ぴきの子ねずみたちは、きらきらしたきれいな目を、そろってきつつきにむけました。
「さあ、いいですか。今日だけのとくべつな音です。お口をとじて、目をとじて、聞いてください。」

◆二人《ふたり》

みんなは、しいんとだまって、目をとじました。目をとじると、そこらじゅうのいろんな音が、いちどに聞こえてきました。

ぶなの葉っぱの、
シャバシャバシャバ。
じめんからの、
パシパシピチピチ。
葉っぱのかさの、
パリパリパリ。
そして、ぶなの森の、
ずうっとおくふかくから、
ドウドウドウ。

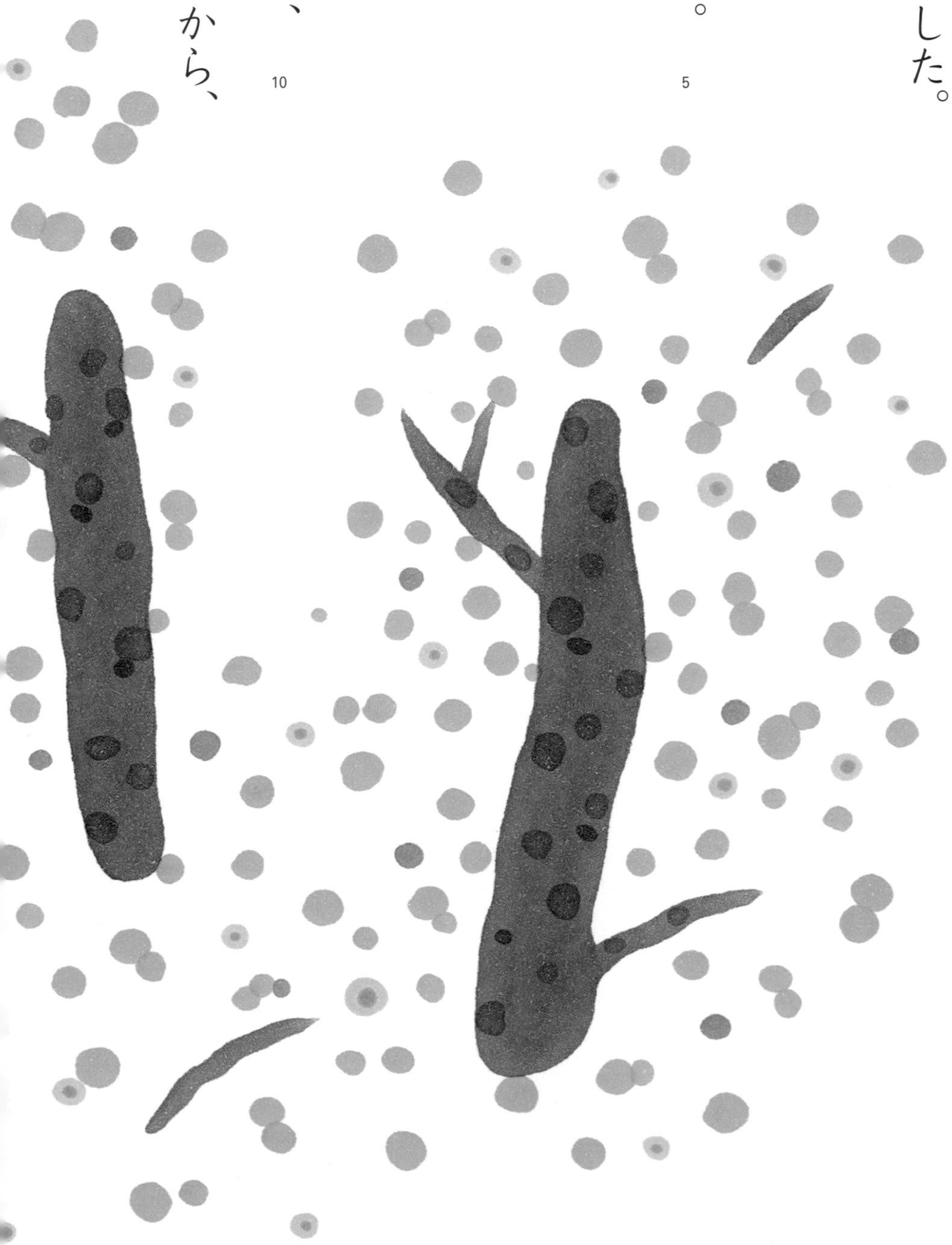

ザワザワザワワ。

「ああ、聞こえる、雨の音だ。」

「ほんとだ。聞こえる。」

「雨の音だ。」

「へえ。」

「うふふ。」

野ねずみたちは、みんな、にこにこうなずいて、それから、目を開けたりとじたりしながら、ずうっとずうっと、とくべつメニューの雨の音につつまれていたのでした。

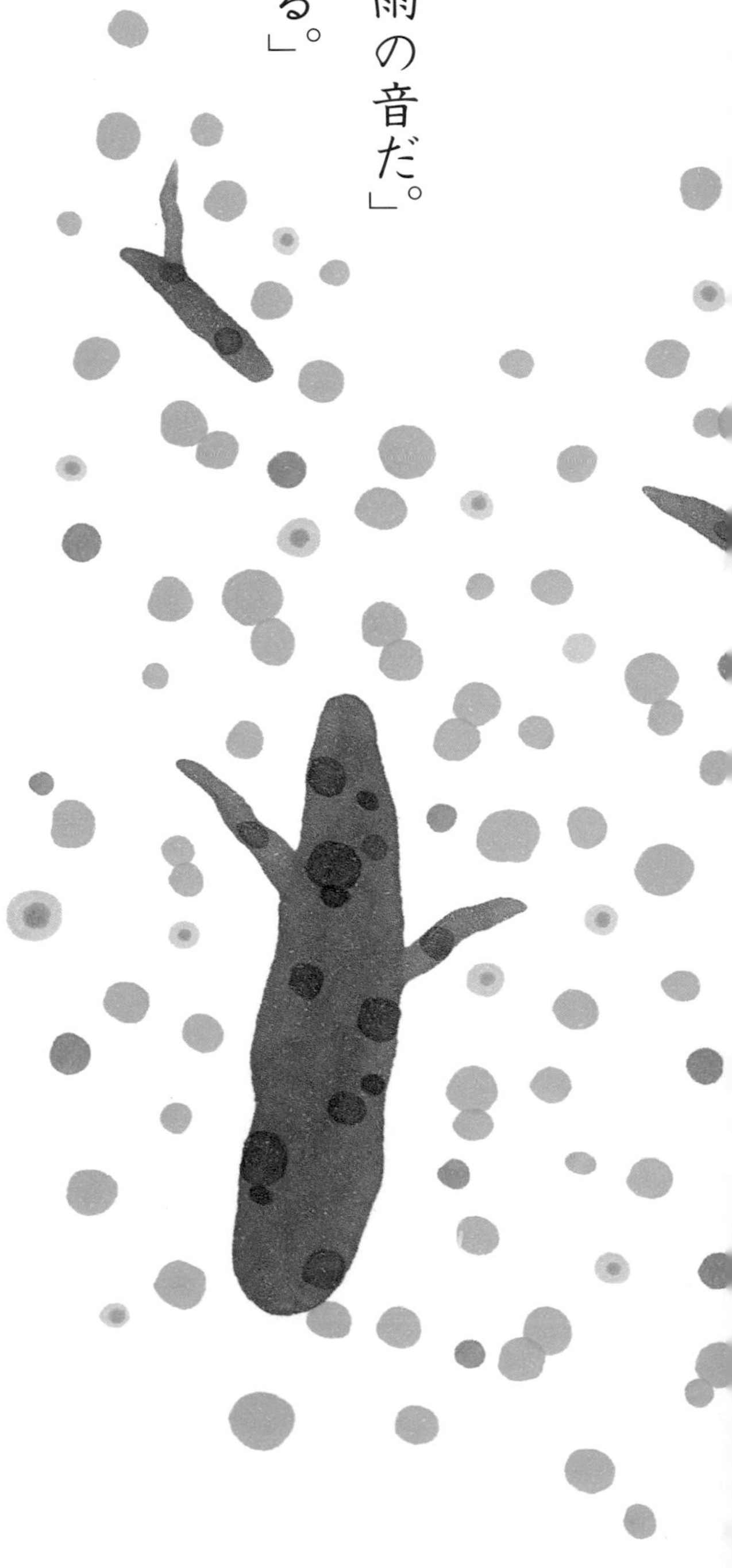

●開《あ》ける

林原　玉枝

一九四八年、広《ひろ》島県《しまけん》生まれ。作家。「不思議《ふしぎ》な鳥」「森のお店やさん」などの作品《ひん》がある。

学習

▼「きつつきの商売」には、「1」と「2」の二つのばめんがあります。「1」と「2」について、つぎのことをくらべましょう。

・登場人物

だれが、どんなことをしましたか。

・出来事

どんなことがありましたか。

ほかにも気づいたことがあったら、はっぴょうしましょう。

▼「1」「2」のどちらかのばめんをえらんで、聞こえてきた音や、登場人物の様子などがよく分かるように音読しましょう。

・グループになって、読むところをきめたり、読み方をくふうしたりしましょう。

・どんなくふうをしたかをせつめいしてから、音読しましょう。聞く人は、かんそうをつたえましょう。

「こだましました。」って書いてあるよ。小さい声で、こだまを入れようよ。
いいね。その後はゆっくり読むと、「うっとり」聞いているかんじが出せそう。

学○習《シュウ》
○登●場《トウジョウ》人○物《ブツ》
出来○事《ごと》
○様●子《ヨウス》

たいせつ

聞く人に分かりやすく

(1) 言葉のむすびつきを考えて、くぎって読むところとつづけて読むところをくふうしましょう。

つぎの文をいろいろにくぎって読み、聞いてみましょう。

●かんばんにきざんだお店の名前は、こうです。

(2) 声の大きさ、はやさ、間をとるところをくふうしましょう。

・大事だと思う言葉や文をつたえるには

・言葉で音をあらわすには

・登場人物の気もちをあらわすには

言葉

▼音をあらわす言葉を見つけたり考えたりして、はっぴょうしましょう。友だちとにているところやちがうところを見つけましょう。

・6・7・8ページの写真を見て、そうぞうした音。

・口をとじて、目をとじて、耳をすまして、教室で聞こえる音。

▼おぼえてつかいましょう。

・ばめん――物語の中で、あることが行われているひとまとまりのぶぶん。

・登場人物――物語のばめんに出てくる人間や、人間のようにうごいたり考えたりする生き物や物のこと。

•言《こと》葉　•間《ま》　大•事《ジ》　写•真《シャシン》　•物語《ものがたり》　•行《おこな》う　人•間《ゲン》

▼「きつつきの商売」の音読を、ほかの学年の人たちや、家の人、ちいきの人に聞いてもらえるとうれしいですね。聞いてほしい人をしょうたいして、音読はっぴょう会を開きましょう。

　あなたがしょうたいしたい人はだれですか。来てもらいたい人に、しょうたいじょうを出しましょう。

　しょうたいじょうを作るときには、大事なことを落とさずに書きましょう。また、うけとった人がよろこんでくれるように、書き方や形をくふうしましょう。

　はがきに書いて送ってもいいですね。

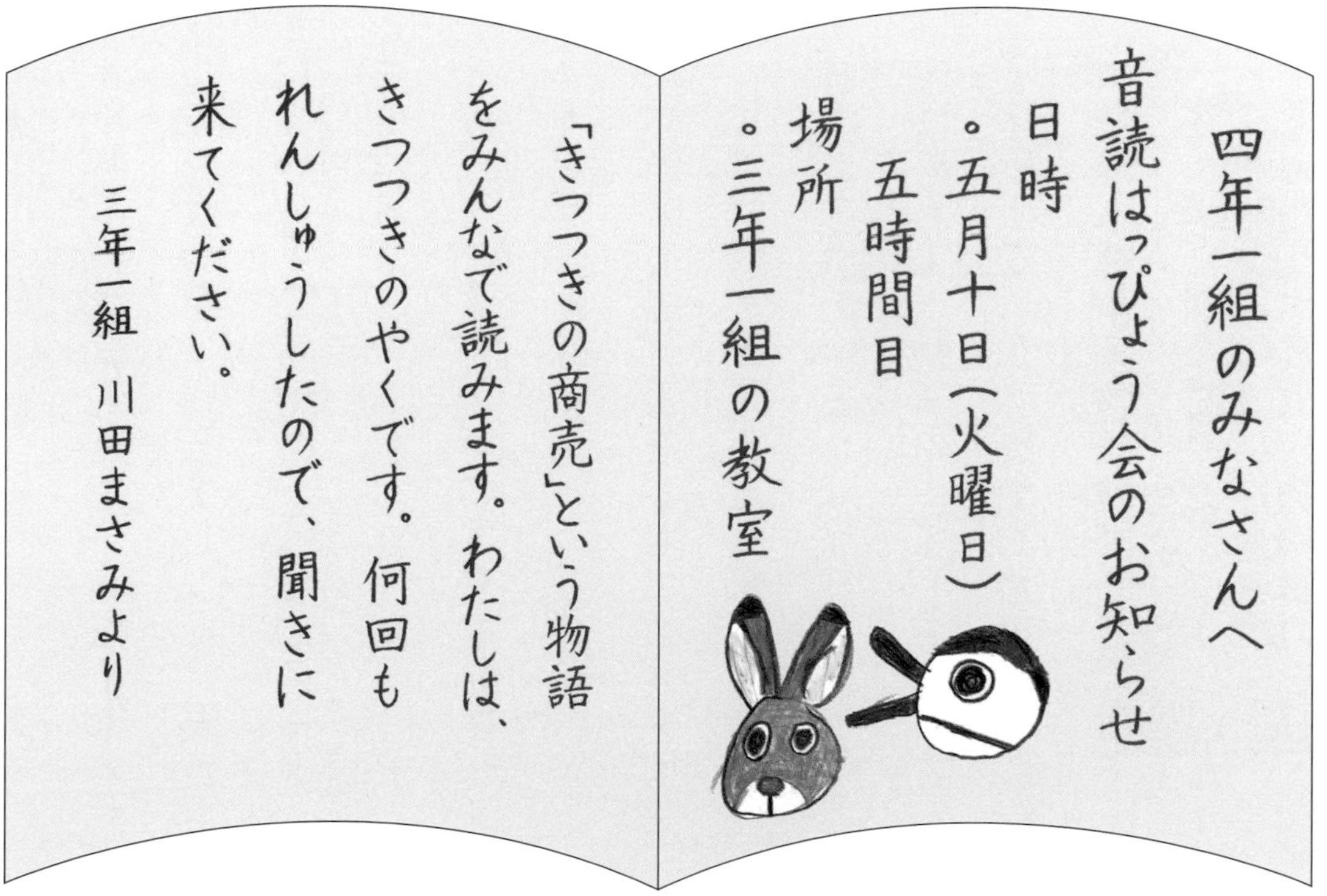
四年一組のみなさんへ
音読はっぴょう会のお知らせ
日時
・五月十日（火曜日）
五時間目
場所
・三年一組の教室
「きつつきの商売」という物語
をみんなで読みます。わたしは、
きつつきのやくです。何回も
れんしゅうしたので、聞きに
来てください。
三年一組　川田まさみより

◦落《お》とす
◦送《おく》る
何
•回《カイ》

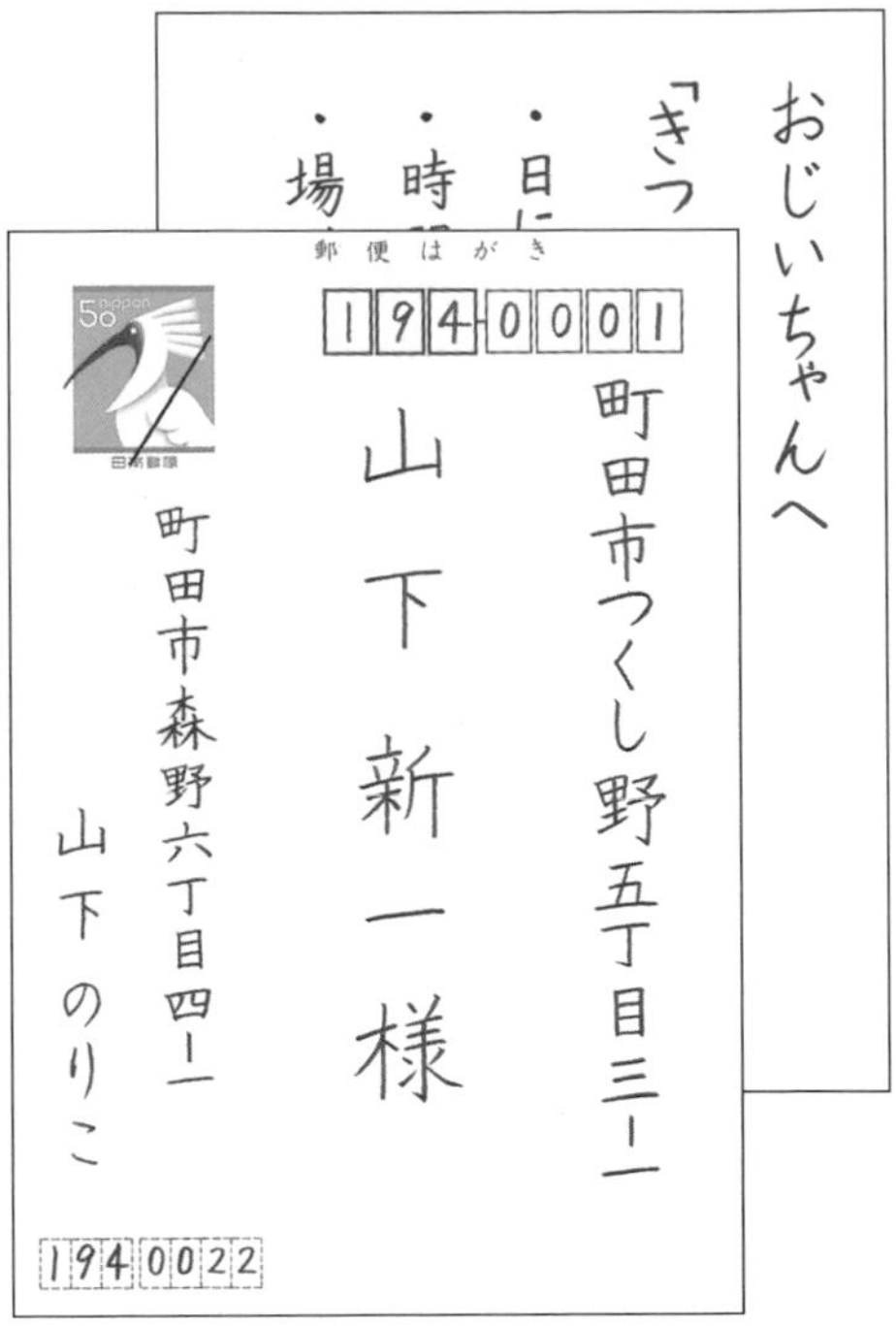
おじいちゃんへ
「きつ
・日に
・時
・場
郵便はがき
1940001
町田市つくし野五丁目三ー一
山下新一様
町田市森野六丁目四ー一
山下のりこ
1940022

たいせつ

しょうたいじょうを書くとき

大事なことを落とさずに書きましょう。
- 相手の名前
- あいさつやしょうたいの言葉
- 行事の名前
- 日にちと時間、場所
- どんなことをするか
- 自分の名前

町田●市《シ》
五○丁《チョウ》目
山下新一●様《さま》
○相《あい》手

商 ショウ
開 カイ ひらく ひらける あく あける
真 シン ま
葉 ヨウ は
実 ジツ み みのる
所 ショ ところ
習 シュウ ならう
登 トウ ト のぼる
物 ブツ モツ もの
事 ジ こと
様 ヨウ さま
写 シャ うつす うつる
落 ラク おちる おとす
送 ソウ おくる
丁 チョウ
相 ソウ あい

↓ 85ページを見よう。

漢字の音《おん》と訓《くん》

今日は、朝早く起きて、ゆっくり朝食をとった。

漢字の読み方には、「音」と「訓」があります。

朝
(音) チョウ　朝食　早朝
(訓) あさ　朝　朝日

「チョウ」と聞いただけでは、意味がよく分かりませんが、「あさ」と聞くと分かります。「音」の読み方には、それだけでは意味の分かりにくいものが多く、「訓」の読み方には、聞いただけで意味の分かるものがたくさんあります。

旅
(音) リョ　旅行　旅館
(訓) たび　旅　旅人

薬
(音) ヤク　火薬　薬局
(訓) くすり　薬　かぜ薬

○漢《カン》字　○起《お》きる　●早《ソウ》朝　○意《イ》○味《ミ》　○旅《リョ》●行《コウ》　旅○館《カン》　火○薬《ヤク》　薬○局《キョク》

新しい漢字を学習するときには、どんな読み方があるのか、どんな意味で、どんなつかい方をするのかをたしかめるようにしましょう。教科書のふろくを生かしてつかいましょう。

ふろくで、読み方がたくさんある漢字をさがしてみよう。

生

セイ
ショウ
い**きる** い**かす** い**ける**
う**まれる** う**む**
は**える** は**やす**
なま

ふろくを見て、同じ音の漢字をあつめたよ。

〈シン〉

両 中
森 親 新 心
林 聞

〈コウ〉

工 高 交 公
場 校 通 園

〈はな〉

鼻 花

同じ訓の漢字もあるね。

•森林《シンリン》 ◦両《リョウ》親 •中心《シン》 •高《コウ》校 •交通《ツウ》 ◦鼻《はな》

漢 カン

起 キ おきる おこる おこす

意 イ

味 ミ あじ あじわう

旅 リョ たび

館 カン

薬 ヤク くすり

局 キョク

両 リョウ

鼻 はな

↓85ページを見よう。

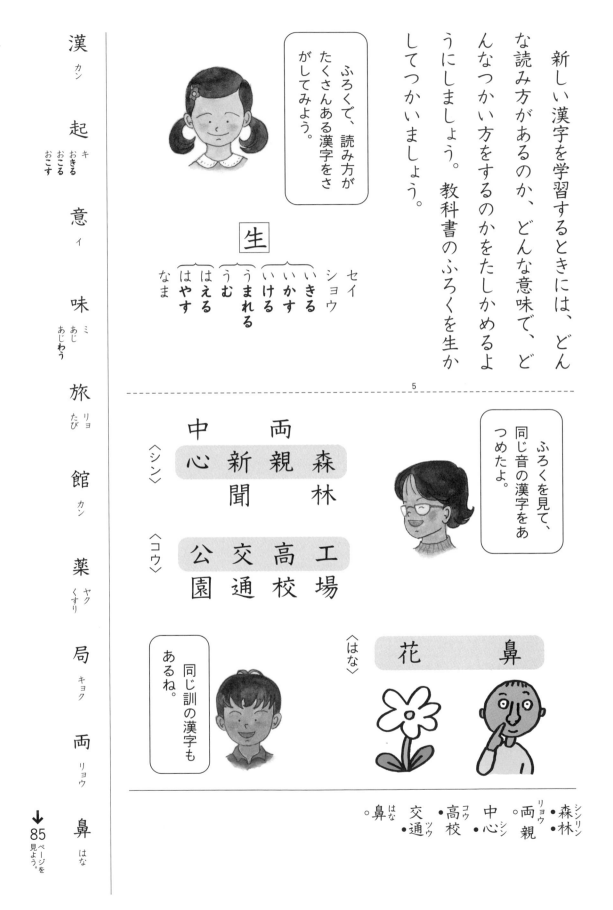

二　まとまりに気をつけて読もう

読む

ありの行列は、なぜできるのでしょう。だれが、どのようにして、その答えを見つけたのでしょう。

ありの行列

大滝《おおたき》 哲也《てつや》　文
神山《かみやま》 博光《ひろみつ》　絵

夏になると、庭のすみなどで、ありの行列をよく見かけます。その行列は、ありの巣《す》から、えさのある所まで、ずっとつづいています。ありは、ものがよく見えません。それなのに、なぜ、ありの行列ができるのでしょうか。

行　○列《レツ》　○庭《にわ》

アメリカに、ウイルソンという学者がいます。この人は、次のような実験《けん》をして、ありの様子をかんさつしました。

はじめに、ありの巣から少しはなれた所に、ひとつまみのさとうをおきました。しばらくすると、一ぴきのありが、そのさとうを見つけました。これは、えさをさがすために、外に出ていたはたらきありです。ありは、やがて、巣に帰っていきました。すると、巣の中から、たくさんのはたらきありが、次々と出てきました。そして、列を作って、さとうの所まで行きました。ふしぎなことに、その行列は、はじめのありが巣に帰るときに通った道すじから、外れていないのです。

○学者《シャ》

○次《つぎ》

●外《はず》れる

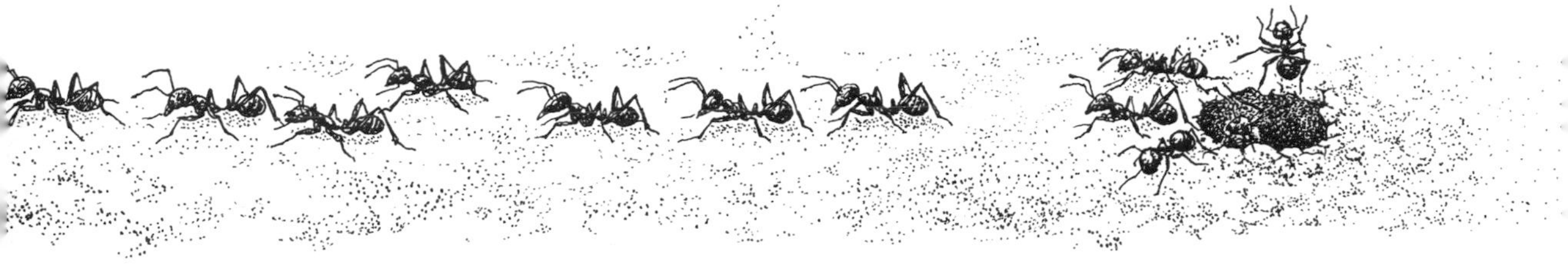

次に、この道すじに大きな石をおいて、ありの行く手をさえぎってみました。すると、ありの行列は、石の所でみだれて、ちりぢりになってしまいました。ようやく、一ぴきのありが、石のむこうがわに道のつづきを見つけました。そして、さとうにむかって進んでいきました。そのうちに、ほかのありたちも、一ぴき二ひきと道を見つけて歩きだしました。まただんだんに、ありの行列ができていきました。目的《てき》地に着くと、ありは、さとうのつぶをもって、巣に帰っていきました。帰るときも、行列の道すじはかわりません。ありの行列は、さとうのかたまりがなくなるまでつづきました。

これらのかんさつから、ウイルソンは、はたらきあ

•行《ゆ》く手

◦進《すす》む

•目《モク》的地

◦着《つ》く

りが、地面に何か道しるべになるものをつけておいたのではないか、と考えました。

そこで、ウイルソンは、はたらきありの体の仕組みを、細かに研究してみました。すると、ありは、おしりのところから、とくべつのえきを出すことが分かりました。それは、においのある、じょうはつしやすいえきです。

この研究から、ウイルソンは、ありの行列のできるわけを知ることができました。

はたらきありは、えさを見つけると、道しるべとして、地面にこのえきをつけながら帰るのです。ほかのはたらきありたちは、そのにおいをかいで、においにそって歩いていきます。そして、そのはたらきありた

●地○面《ジメン》
○仕《シ》組み
●細《こま》か
○研○究《ケンキュウ》

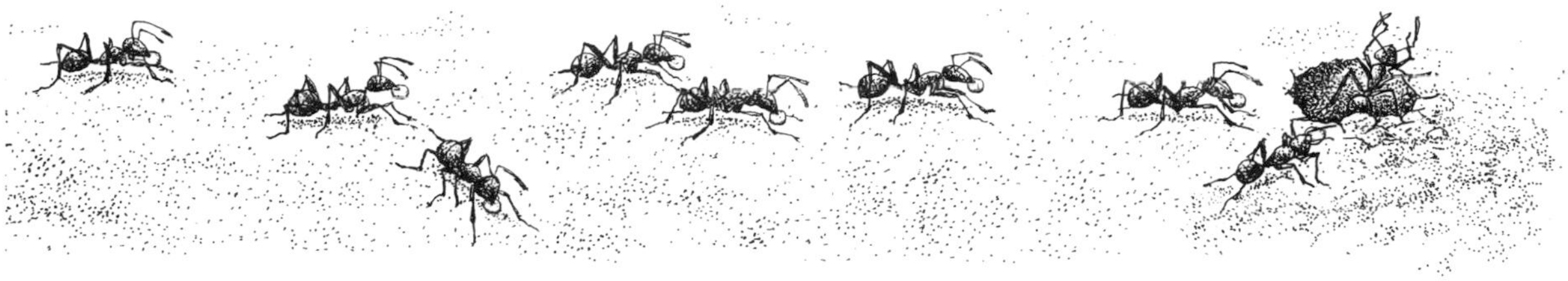

ちも、えさをもって帰るときに、同じように、えきを地面につけながら歩くのです。そのため、えさが多いほど、においが強くなります。

このように、においをたどって、えさの所へ行ったり、巣に帰ったりするので、ありの行列ができるというわけです。

このえきのにおいは、ありのしゅるいによってちがうことも分かりました。それで、ちがったしゅるいのありの道しるべが交わっていても、けっしてまようことがなく、行列がつづいていくのです。

・交《まじ》わる

大滝 哲也

一九二六年、東京都《と》生まれ。動《どう》物学者。とくに、こん虫《ちゅう》について研究している。

学習

▼「ありの行列」を読んで、はじめて知ったことやおどろいたこと、ぎもんに思ったことを発表しましょう。

▼「ありの行列」には、はじめの段《だん》落に「問い」がしめされています。どんな「問い」でしょう。

▼「問い」の「答え」は、どこに書いてあるでしょう。書いてある段落を見つけましょう。どの言葉や文で、それが分かりますか。

▼「答え」を出すために、ウイルソンはどんな実験や研究をしたのでしょう。段落ごとにたしかめましょう。

たいせつ

まとまりに気をつけて読む

——段落——

文章には、行のはじめが一字下がっているところがあります。そこをくぎりとして、ないようがひとまとまりになっています。このひとまとまりを段落といいます。

ふつう、段落は、いくつかの文があつまってできています。

段落に何が書いてあるかを考えるときは、その段落の中でいちばん大事な文、中心になる文を見つけましょう。また、文章の中でくりかえし出てくる言葉、題名とつながりのある言葉などにも気をつけましょう。

○発《ハッ》○表《ピョウ》　○問《と》い　文○章《ショウ》　○題《ダイ》名

言葉

▼「ありの行列」には、「ました。」で終わる文と、「です。」「ます。」で終わる文とがあります。かんさつしたり研究したりしたことを書いた文には、どちらの書き方が多くつかわれていますか。分かったことをせつめいしている文では、どちらの書き方が多いですか。

▼「ありの行列」に出てきた、次の言葉のはたらきを考えてみましょう。

・はじめに――次に

・しばらくすると――やがて――ようやく――そのうちに

・すると――それで

○終《お》わる

列　レツ
庭　テイ　にわ
者　シャ　もの
次　ジ　つ**ぐ**　つぎ
進　シン　すす**む**　すす**める**
着　チャク　き**る**　き**せる**　つ**く**　つ**ける**
面　メン
仕　シ　つか**える**
研　ケン
究　キュウ

発　ハツ
表　ヒョウ　おもて　あらわ**す**　あらわ**れる**
問　モン　と**う**　とい
章　ショウ
題　ダイ
終　シュウ　お**わる**　お**える**

↓86ページを見よう。

漢字の広場

二年生で習った漢字①

▼男の子は、どんなぼうけんをしてねこをさがしたのでしょう。絵の中の言葉をつかって、お話を書きましょう。

れい

山のふもとに、東西南北をしめす道しるべがありました。

東
・西《ザイ》
・南《ナン》
・北《ボク》

国語辞典《じてん》を使おう

「来週のなわとび大会は、クラスいちがんとなって、がんばろう。」

「『いちがん』って、どういう意味なの。」

こんなとき役に立つのが、国語辞典です。国語辞典は、次のようなときに使います。

①言葉の意味を知りたいとき
②漢字での書き表し方を知りたいとき
③言葉の使い方を知りたいとき

では、「いちがん」という言葉を辞典で見てみましょう。

〈言葉の意味〉
いくつかの意味がのっている場合もあります。

〈漢字での書き表し方〉

〈言葉の使い方〉
みじかい文などといっしょにのっています。

いちおう【一応】 ①意味 完全（かんぜん）ではないがひととおりは。例（れい）みんなの考えは一応出そろった。②意味 やがて正式（せいしき）にするつもりだが。かりに。例 荷物（にもつ）は一応そこにおくよ。

いちがん【一丸】 意味 ひとかたまり。一つにまとまること。例 チームが一丸となって相手にぶつかる。

いちぐん【一群】 意味 ひとかたまりのむれ。ひとむれ。

◦使《つか》う　◦役《ヤク》　一・丸《ガン》

言葉のならび方

国語辞典では、言葉は「あ」で始まるものから、五十音順《じゅん》にならべてあります。たとえば、「あう」と「かう」では、一字目の「あ」と「か」をくらべて「あう」のほうが先になります。「あい」と「あう」のように、一字目が同じ場合は、二字目の「い」と「う」をくらべて「あい」のほうが先になります。二字目も同じときは、三字目をくらべます。

あかい ← あきあき ← あきかぜ ← あきかん

また、多くの辞典では、「ば・び・ぶ・べ・ぼ」のような濁《だく》音は、「は・ひ・ふ・へ・ほ」のような清《せい》音の後にならべてあります。「ぱ・ぴ・ぷ・ぺ・ぽ」という半濁音は、濁音の後にあります。

かく ← がく

すし ← すじ ← ずし

ホール ← ボール ← ポール

▼あなたがよく使う国語辞典で、次の言葉はどちらが先に出ているか調べてみましょう。

・「あおい（青い）」と「あかい（赤い）」

・「あいて（相手）」と「あいこ」

・「バス」と「パス」

◦始《はじ》まる　◦調《しら》べる

・「じゆう（自由）」と「じゅう（十）」のような、大きく書くかなと小さく書くかな（「ゃ・ゅ・ょ」「っ」）。
・「くらす」と「クラス」のような、同じ音《おん》のひらがなとかたかな。
・「バレー」と「バレエ」のような、のばす音がある言葉。

言葉の形

書かない	赤かろう	しずかだろう
書きます	赤かった	しずかだった
書く	赤くなる	しずかで
書くもの	赤い	しずかに
書けば	赤い花	しずかだ
書こう	赤ければ	しずかな夜
		しずかならば

文の中で、いろいろに形をかえる言葉があります。国語辞典では、ふつう、上の□でかこんだ形でのっています。

▼次の――線の言葉を国語辞典でさがして、意味を調べてみましょう。
・そのお宮は、とてもうつくしかった。
・山小屋で、さわやかな朝をむかえた。
・小川にささぶねをうかべよう。
・心をこめてお礼を言った。

言葉の意味

国語辞典では、一つの言葉に、いくつかの意味がのっていることがあります。そういうときは、調べている言葉が、文中でどの意味に当てはまるかを考えます。

自○由《ユウ》　お○宮《みや》　山小○屋《や》　●小《お》川　お○礼《レイ》

▼次の――線の言葉を国語辞典で調べ、どの意味が当てはまるか考えましょう。

・母が温かいあま酒を出してくれた。
・町内の野球チームに入る。
・姉が、やさしい調子で話す。
・ページに番号をふる。
・玉のような赤ちゃんが生まれた。

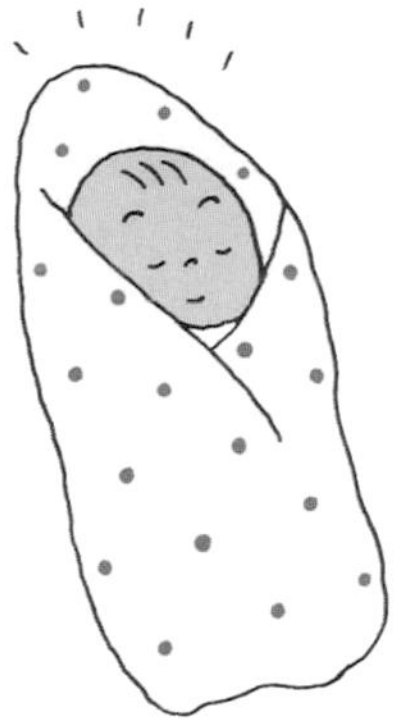

▼国語辞典を使って、いろいろな問題を作り、楽しみましょう。

〈れい〉

・どの音で始まる言葉がいちばん多くのっていますか。また、いちばん少ないのはどの音ですか。

◦温《あたた》かい　◦あま酒《ざけ》　•町•内《チョウナイ》　•野◦球《ヤキュウ》　調•子《シ》　番◦号《ゴウ》　•少《すく》ない

使　シ　つかう
役　ヤク
始　シ　はじめる　はじまる
調　チョウ　しらべる
由　ユウ
宮　キュウ　みや
屋　オク　や
礼　レイ
温　オン　あたたか　あたたかい　あたたまる　あたためる
酒　シュ　さけ　さか
球　キュウ　たま
号　ゴウ

↓86ページを見よう。

わたしと小鳥とすずと

金子《かねこ》みすゞ《ず》 詩
松永《まつなが》禎郎《よしろう》 絵

わたしが両手をひろげても、
お空はちっともとべないが、
とべる小鳥はわたしのように、
地面《じべた》をはやくは走れない。

○詩《シ》

わたしがからだをゆすっても、
きれいな音はでないけど、
あの鳴るすずはわたしのように
たくさんなうたは知らないよ。

すずと、小鳥と、それからわたし、
みんなちがって、みんないい。

詩《シ》

↓87ページを見よう。

三　分かりやすく書こう

おもしろいもの、見つけた

書く

どこで、どんなものを見つけたのか、くわしく書いて友だちに知らせましょう。

ひながかえったつばめの巣《す》、人間の顔に見える木など、「おもしろいな。」「みんなに知らせたいな。」と思うものをさがしましょう。そして、見つけたもののことを文章に書いて、クラスの友だちに知らせましょう。

1 知らせたいものを決めよう。

学校や家のまわりで見つけたものの中から、知らせたいものを決めましょう。

高野さんは、五月の日記に書いていた「写真がついたマンホールのふた」について、知らせることにしました。

高野さんの日記

> 五月十九日（木）
> 動物園の近くで、パンダの写真がマンホールのふたについているのを見つけた。めずらしいな。

2 知らせたいことを整理して書こう。

友だちにも、「おもしろそう。」「見てみたい。」と思ってもらいたいですね。そのためには、何を、どのようにつたえたらいいでしょう。

高野さんは「おもしろいと思ったところ」「マンホールのふたの様子」「場所」という三つの事がらをつたえることにしました。うまくつたえられるように、もう一度マンホールのある場所に行って、よく見たり、調べたりしました。そして、事がらごとにカードにくわしく書きました。

○決《き》める　○動《ドウ》物園　○整《セイ》理　一○度《ド》

おもしろいと思ったところ

・地面に写真がある。
・マンホールのふたに、パンダの写真がついている。
・写真はカラーで、ふつうのふたとちがう。
・コアラや白くまのふたもある。

マンホールのふたの様子

・ぼくの足より大きく、円い。
・パンダの写真がついている。
・パンダは木にもたれてすわっている。
・えさを食べながら、顔をこちらに向けている。
・パンダの下に「おうじどうぶつえん」と書いてある。

場所

・王子《おうじ》公園駅から動物園に行くとちゅう。
・駅前のしんごうをわたり、歩道を左に進む。動物園のバスていの手前。

高野さんは、カードをもとに、全体の組み立てを考えて、文章を書きました。

●円《まる》い　○駅《エキ》　●歩《ホ》道《ドウ》　○向《む》ける　○全《ゼン》体

動物の写真がついているマンホールのふた

高野　けいた

ぼくは、動物の写真がついたマンホールのふたを見つけました。歩いていたとき、地面に写真があってびっくりしました。よく見ると、マンホールのふたでした。ふつうのマンホールのふたは、こげ茶色ですが、ぼくが見たふたは、カラーでパンダの写真がついていました。歩いていると、コアラや白くまのふたもありました。

ぼくは、パンダのふたがいちばんすきです。

マンホールのふたは、ぼくの足より大きくて、円い形をしています。写真に写っているパンダは、木にもたれてすわっています。そしてえさを食べながら、顔をこちらに向けています。パンダの

書きだし

知らせたいこと

・事がらごとに、段《だん》落をかえて書く。

① おもしろいと思ったところ

② マンホールのふたの様子

下には、「おうじどうぶつえん」という文字があります。

マンホールは、王子公園駅から動物園に行くとちゅうにあります。駅前のしんごうをわたり、歩道を左に進みます。動物園のバスていの手前にあります。

みなさんも、動物園の近くに行くときは見てください。

③場所

むすび
・さそいかけの言葉

3 書いた文章を読み直そう。

一つの事がらが一つの段落に書かれているか、段落のはじめは一字下がっているか、読み直してたしかめましょう。また、習った漢字は使うようにしましょう。

図・写真・絵などを入れると、読む人に様子がよくつたわります。

段落を分けて書く

「おもしろいと思ったところ」「マンホールのふたの様子」「場所」というように、文章の全体には、いくつかの事がらがふくまれています。事がらごとに段落を分けて書くと、分かりやすく、読みやすい文章になります。

様子をつたえる

マンホールのふたは、大きくて円い形をしています。写真に写っているパンダは、とてもかわいいです。

マンホールのふたは、ぼくの足より大きくて、円い形をしています。写真に写っているパンダは、木にもたれてすわっています。そして、えさを食べながら、顔をこちらに向けています。

上の二つの文章を読みくらべてみましょう。右の文章の「大きくて」より、左の文章の「ぼくの足より大きくて」のほうが、だいたいの大きさが分かります。

右の文章のように、「かわいい」と、書き手がかんじたことを書くのと、左の文章のように、「木にもたれて……向けています。」と事実を書くのとでは、どちらのほうが、様子が正しくつたわりますか。

決　ケツ　きめる　きまる

動　ドウ　うごく　うごかす

整　セイ　ととのえる　ととのう

度　ド

向　コウ　むく　むける　むかう　むこう

駅　エキ

全　ゼン　まったく

↓87ページを見よう。

くわしくする言葉

次の文を読んでみましょう。

わたしは、　書きました。　…………　これは、主語と述《じゅつ》語がそろっている文です。でも、この文だけでは、何をつたえたいのか、よく分かりませんね。

わたしは、　手紙を　書きました。　…　これで、少し分かるようになりました。では、次の文はどうでしょう。

わたしは、　おじいちゃんに　手紙を　書きました。

三つの文では、同じ主語と述語が使われています。そして、□の部分をつけ足すことで、だんだんと分かりやすい文になっています。

□の「だれに」「何を」に当たるような、文の意味をくわしくする言葉を、

◦主《シュ》語　◦部《ブ》分

修飾《しゅうしょく》語といいます。「いつ」「どこで」に当たる言葉も修飾語です。

・（主語）ぼくは、きのう《いつ》、公園で《どこで》 遊びました（述語）。

わたしは、 京都の おじいちゃんに、 長い 手紙を 書きました。

「京都の」は、「おじいちゃん」を、よりくわしくしています。
「長い」は、「手紙」をくわしくせつめいしています。
このような、「どこ（だれ・何）の」や「どんな」に当たる言葉も修飾語です。
ほかに、「どのくらい」「どのように」に当たる言葉も、修飾語です。

・この湖は、たいへん《どのくらい》大きい。

・庭の花が美しく《どのように》さいた。

5

○遊《あそ》ぶ　京都《ト》　○湖《みずうみ》　○美《うつく》しい

▼修飾語を足して、文をくわしくしましょう。

〈れい〉星が光る。

大きな
きらきら
星が光る。

・氷がとける。

・わたしは投げる。

・魚が泳ぐ。

▼次のゲームをしてみましょう。

---

①主語と述語だけの文を一つ決める。

〈れい〉馬が走る。

②グループに分かれて一列にならび、先頭の人が、文に修飾語を一つ足し、次の人につたえる。

③同じように、前から来た文に一つずつ修飾語を足して、後ろの人に回す。

④さいごの人までいったら、グループごとにどんな文ができたか、発表する。

○氷《こおり》 ○投《な》げる ○泳《およ》ぐ

主 シュ ぬし おも

部 ブ

遊 ユウ あそぶ

都 ト ツ みやこ

湖 コ みずうみ

美 ビ うつくしい

氷 ヒョウ こおり

投 トウ なげる

泳 エイ およぐ

↓87ページを見よう。

漢字の広場

二年生で習った漢字②

▼どんな動物がいますか。どんな物がありますか。どんな人が何をしていますか。くわしくする言葉を使って書きましょう。

麦わらぼうし
首
長い
高い
太い
少ない
多い
細い
強い
半分
弱い
鳥
古い
新しい
羽
鳴き声
顔
牛
馬
頭
売る
内
買う
外

れい

さくの外から手をのばして、女の子が、かわいい子馬の頭をなでています。

道あんないをしよう

森さんが、引っこしてきたばかりの谷川さんに、花園《はなぞの》児《じ》童館の場所を教えています。谷川さんといっしょに、森さんの道あんないを聞きながら、次のページの地図を指でたどってみましょう。

話す・聞く

学校から駅の方へ行って、しんごうのところを右へまがってね。その道をまっすぐ行くと、なの花公園があるの。そこで、よく中山さんと遊ぶんだ。でも、まっすぐ行かないで、とちゅうで左へまがるの。そうして、二つ目の角をまがったら、左がわに見えるよ。

どこかで道にまよったとしたら、どうしてまよってしまったのか、考えましょう。

また、森さんは、どのように道あんないをすればよかったのか、考えてみましょう。

●角《かど》　○指《ゆび》　○児童《ドウ》館

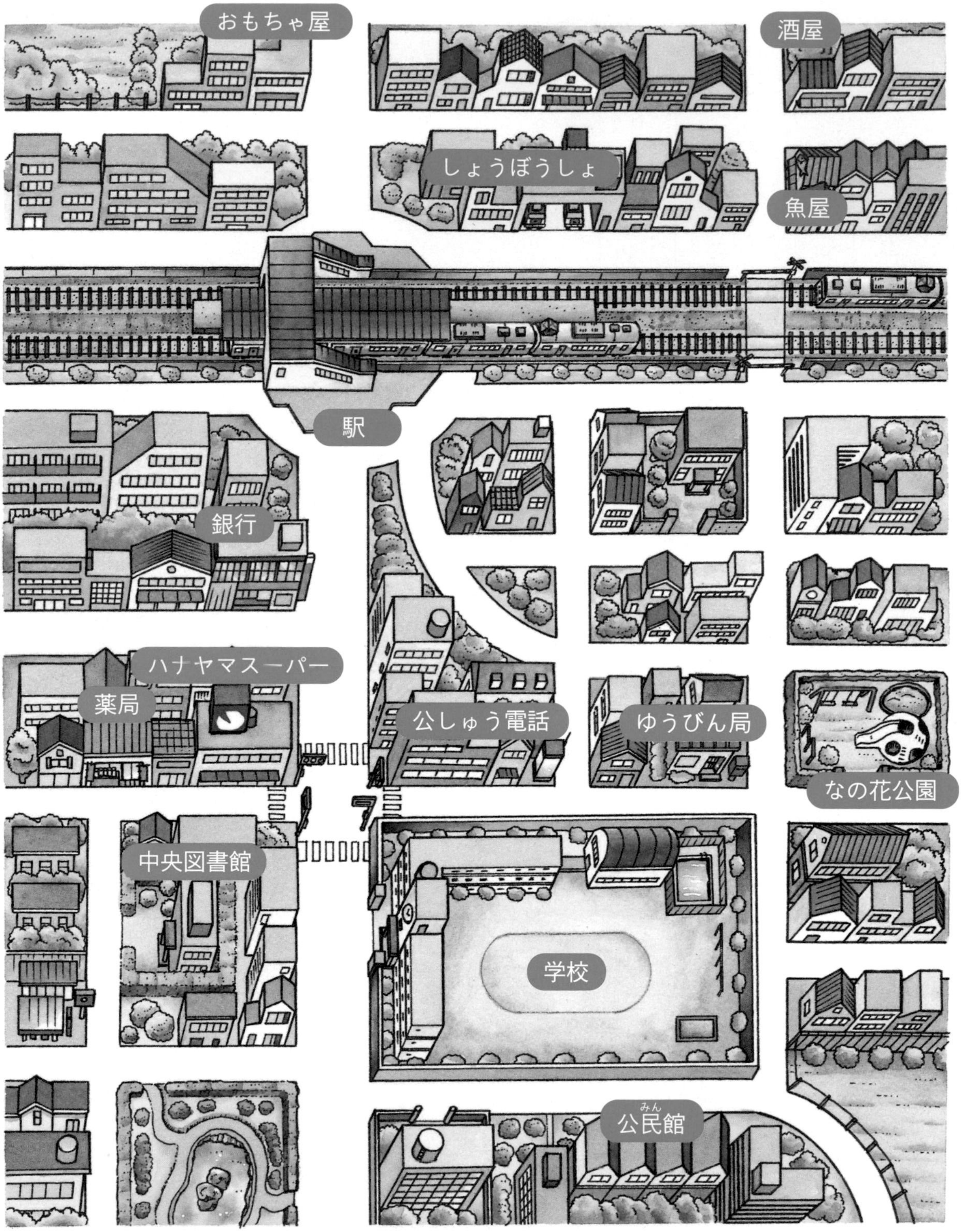
おもちゃ屋
酒屋
しょうぼうしょ
魚屋
駅
銀行
ハナヤマスーパー
薬局
公しゅう電話
ゆうびん局
なの花公園
中央図書館
学校
公民《みん》館

○銀《ギン》行
中○央《オウ》

▼前のページの地図を使って、道あんないのれんしゅうをしましょう。

〈れい〉

・学校で、二年生に、中央図書館の場所を教えるとき

・駅で、大人に、公民《みん》館の場所をたずねられたとき

目じるしになるものや、まがるときの方向は大事だよね。
そうだね。それと、相手が分かったかどうかを、たしかめながら話さないとね。

たいせつ

せつめいをするとき・聞くとき

——行き方・作り方など——

〈話す〉

・大事なことを、みじかい言葉で話す。

・じゅんじょが分かるように話す。

・まちがえそうなところ、分かりにくそうなところは、くわしく、ていねいに話す。

〈聞く〉

・自分が行くことができるか、作ることができるかを考えながら聞く。

・分からないところ、聞きのがしたところは、しつもんしてたしかめる。

◆大人《おとな》

童 ドウ
指 シ ゆび さす
銀 ギン
央 オウ
服 フク
福 フク
秒 ビョウ
幸 コウ さいわい しあわせ

たしかめながら話す・聞く

・きれいなくもの写真だよ。

右の文を聞いただけでは、「くも」が、「空にうかぶ雲」なのか、「生き物のくも」なのかは分かりません。

発音が同じ言葉は、ほかにもあります。

・服——福　・全面——前面

・人口——人工　・汽車——記者

発音がにていて、まぎらわしい言葉もあります。

・一秒——七秒

・大野さん——小野さん

聞きまちがいは、よく起こることです。話す人は、相手の様子をたしかめながら、はっきり発音しましょう。「福」を「幸福の福」のようにせつめいしたり、「七秒」を「ななびょう」と言いかえたりするのもいいでしょう。

聞く人は、メモにとって、分からない言葉を後でたずねたり、「こうですか。」と、相手の言葉をくりかえしたりして、正しく聞けたかをたしかめましょう。

○服《フク》　○福《フク》　人●口《コウ》　一○秒《ビョウ》　○幸《コウ》福

↓88ページを見よう。

読む　書く

いろいろな本を読んで、おもしろいところを見つけ、友だちにしょうかいしましょう。

三年とうげ

李《リ》錦《クム》玉《オギ》　作
朴《パク》民《ミ》宜《ニ》　絵

あるところに、三年とうげとよばれるとうげがありました。

あまり高くない、なだらかなとうげでした。

春には、すみれ、たんぽぽ、ふでりんどう。とうげからふもとまでさきみだれました。れんげつつじのさくころは、だれだってため息の出るほど、よいながめでした。

秋には、かえで、がまずみ、ぬるでの葉。とうげからふもとまで美しく色づきました。

ため息《いき》。

昔《むかし》。

転《ころ》ぶ。

白いすすきの光るころは、だれだってため息の出るほど、よいながめでした。

三年とうげには、昔から、こんな言いつたえがありました。

「三年とうげで　転ぶでない。
三年とうげで　転んだならば、
三年きりしか　生きられぬ。
長生きしたけりゃ、
転ぶでないぞ。
三年とうげで　転んだならば、
長生きしたくも　生きられぬ。」

ですから、三年とうげをこえるときは、みんな、転ばないように、おそるおそる歩きました。

ある秋の日のことでした。一人のおじいさんが、となり村へ、反《たん》物を売りに行きました。そして、帰り道、三年とうげにさしかかりました。白いすすきの光るころでした。おじいさんは、こしを下ろしてひと息入れながら、美しいながめにうっとりしていました。しばらくして、

「こうしちゃおれぬ。日がくれる。」

おじいさんは、あわてて立ち上がると、

「三年とうげで　転ぶでないぞ。
三年とうげで　転んだならば、
三年きりしか　生きられぬ。」

と、足を急がせました。

お日さまが西にかたむき、夕やけ空がだんだん暗くなりました。

ところがたいへん。あんなに気をつけて歩いていたのに、おじいさんは、石につまずいて転んでしまいました。おじいさんは真っ青になり、

反物
着物を作るためのぬの。

◦急《いそ》ぐ
◦暗《くら》い
◆一人《ひとり》
◆真《ま》っ青《さお》

がたがたふるえました。

家にすっとんでいき、おばあさんにしがみつき、おいおいなきました。

「ああ、どうしよう、どうしよう。わしのじゅみょうは、あと三年じゃ。三年しか生きられぬのじゃあ。」

その日から、おじいさんは、ごはんも食べずに、ふとんにもぐりこみ、とうとう病気になってしまいました。お医者をよぶやら、薬を飲ませるやら、おばあさんはつきっきりで看《かん》病しました。けれども、おじいさんの病気はどんどん重くなるばかり。村の人たちもみんな心配しました。

そんなある日のこと、水車屋のトルトリが、みまいに来ました。

「おいらの言うとおりにすれば、おじいさんの病気はきっとなおるよ。」

「どうすればなおるんじゃ。」

おじいさんは、ふとんから顔を出しました。

「なおるとも。三年とうげで、もう一度転ぶんだよ。」

○病《ビョウ》気
○お医《イ》者
○飲《の》む
○重《おも》い
○心配《パイ》

水車屋
水車を使い、米や麦をこなにひく仕事をしている人。

「ばかな。わしに、もっと早く死ねと言うのか。」

「そうじゃないんだよ。一度転ぶと、三年生きるんだろ。二度転べば六年、三度転べば九年、四度転べば十二年。このように、何度も転べば、ううんと長生きできるはずだよ。」

おじいさんは、しばらく考えていましたが、うなずきました。

「うん、なるほど、なるほど。」

そして、ふとんからはね起きると、三年とうげに行き、わざとひっくりかえり、転びました。

このときです。ぬるでの木のかげから、おもしろい歌が聞こえてきました。

○死《し》ぬ

「えいやら　えいやら　えいやらや。
一ぺん転べば　三年で、
十ぺん転べば　三十年、
百ぺん転べば　三百年。
こけて　転んで　ひざついて、
しりもちついて　でんぐりがえり、
長生きするとは、こりゃ　めでたい。」
おじいさんは、すっかりうれしくなりました。

ころりん、ころりん、すってんころり、ぺったんころりん、ひょいころ、ころりんと、転びました。あんまりうれしくなったので、しまいに、とうげからふもとまで、ころころころりんと、転がり落ちてしまいました。そして、けろけろけろっとした顔をして、

「もう、わしの病気はなおった。百年も、二百年も、長生きができるわい。」

と、にこにこわらいました。

こうして、おじいさんは、すっかり元気になり、おばあさんと二人なかよく、幸せに、長生きしたということです。

ところで、三年とうげのぬるでの木のかげで、

「えいやら　えいやら　えいやらや。
一ぺん転べば　三年で、
十ぺん転べば　三十年、
百ぺん転べば　三百年。
こけて　転んで　ひざついて、
しりもちついて　でんぐりがえり、
長生きするとは、こりゃ　めでたい。」

と歌ったのは、だれだったのでしょうね。

李錦玉
一九二九年、大阪《おおさか》府《ふ》生まれ。作家。「へらない稲《いな》たば」「あおがえる」などの作品《ひん》がある。

学習

▼「三年とうげ」を読んで、おもしろいと思ったことや心にのこったことを発表しましょう。わけもいっしょに話しましょう。

友だちと自分の考えをくらべて、同じところやちがうところを見つけましょう。

言葉

▼「三年とうげ」には、声に出して読むと調子のよいところがたくさんあります。さがして、読みましょう。

たいせつ

おもしろさの発見

お話のおもしろさは、いろいろあります。

- 登場人物——行動や人がら
- 出来事——ふしぎなこと、意外なこと
- 時代や場所
- 物語のすじ——場面のうつりかわり
- 言葉の使い方や文章の調子
- 心にのこる言葉や文
- 絵など

発 ●見《ケン》
時 ○代《ダイ》

息 ソク いき
昔 むかし
転 テン ころがる ころげる ころがす ころぶ
急 キュウ いそぐ
暗 アン くらい
病 ビョウ やまい
医 イ
飲 イン のむ
重 ジュウ チョウ おもい かさねる かさなる
配 ハイ くばる
死 シ しぬ
代 ダイ タイ かわる かえる

↓ 88ページを見よう。

本は友だち

1 いろいろな本を読もう。

「もりのなか」は、黒い色だけでえがかれた絵本です。でも、登場人物の動きや顔つきが生き生きしていて、うす暗い森の中で本当にあった出来事のようにかんじられるお話です。

「はるにれ」は、写真だけの本です。ページをめくるたびに、春夏秋冬、朝昼晩《ばん》、一本の木のさまざまなすがたがあらわれます。言葉が全くないのに、見ているだけでいろいろな言葉が次々とうかんできます。

「おじいちゃんのおじいちゃんのおじい

・春《シュン》
・夏《カ》
・秋《シュウ》
・冬《トウ》

ちゃんのおじいちゃん」は、絵と文字がふしぎなかんじで組み合わされた絵本です。全体をながめたり、細かいところまでじっくり見たり読んだりして楽しめます。

「ともだち」（ひねくれやのフクロウが、友だちを見つける話）のように、ごくみじかいお話に絵がついた本もあります。「かいぞくオネション」（おねしょをした朝、マンボウにのって海に行く男の子の話）のように、少し長い物語に生き生きした絵がついた本もあります。

どの本も、読む楽しさを知らず知らずのうちに心のおくまでとどけてくれます。

あなたは、どんな本を読みたいですか。

2 本のおびを作ろう。

本の表紙にまいてある細長い紙を、「本のおび」といいます。

「本のおび」には、その本を手にした人が、思わず開いて読みたくなるような文や絵が、くふうしてかいてあります。

おもしろかった本、ほかの人にすすめたいと思う本におびをつけて、しょうかいしましょう。

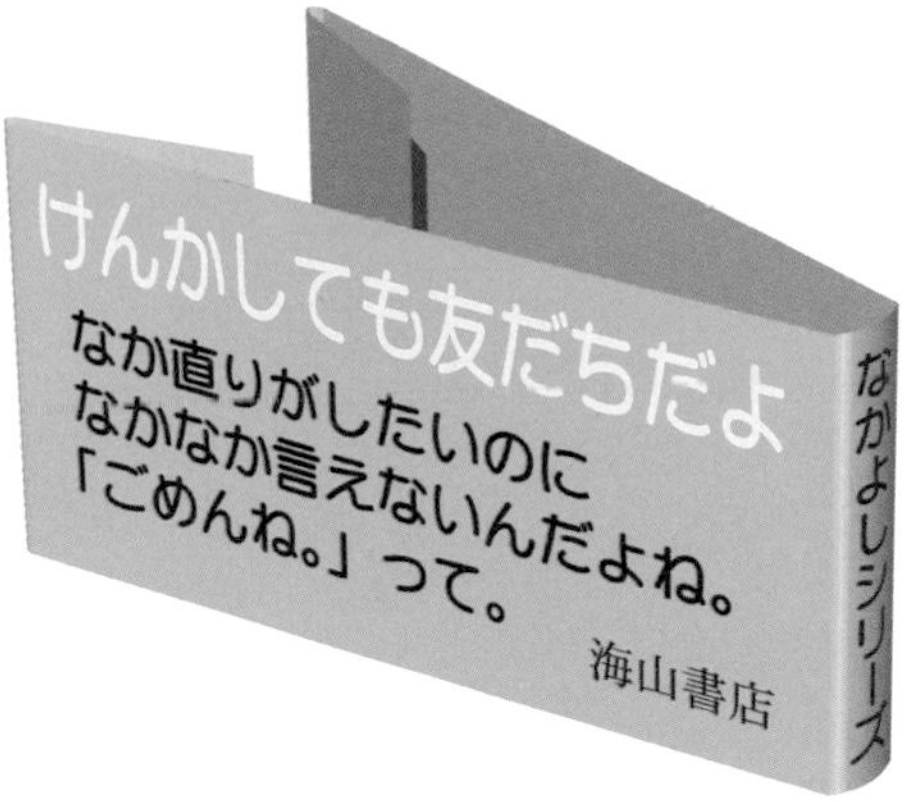

- どんなおもしろさについて書きますか。
  63ページにあるように、本のおもしろさは、いろいろあります。一つえらびましょう。
- おもしろさを、どのようにつたえますか。
  どこに、何を、どれぐらいの長さで書くかを考えましょう。読む人を引きつける書き方や、文字の大きさ、絵もくふうしましょう。

倍
バイ

「アヤは，あやとりの山をうしろへむけて投げかけました。たちまち二人の間には，高い山が——。」

すいせん　山下しゅん

はらはらしたい人へ

あやとりひめ

森《もり》山《やま》京《みやこ》

アヤは，お母さんがくれた五色の糸をもっています。こまったときにこの糸であやとりをすると，ふしぎなことが起こります。

長倉《ながくら》洋海《ひろみ》・坂《さか》文子《ふみこ》

この本の写真を見ると、森の子どもたちが、どんな生活をしているのかがよく分かります。みんな、とても楽しそうです。

この本を読んだら、外で遊ぶことが今までの何倍も楽しくなること、まちがいなし。

（川田　まさみ）

アヤがあやとりの糸を投げかけた後、どうなるんだろう。

川田さんが、こんなにおもしろいと思った写真を見たくなったよ。

○何倍《バイ》　●五色《シキ》

↓
89ページを見よう。

本のさがし方

物語のたなは，外国のものと日本のものとに分けておいてあります。

作者名の五十音順《じゅん》にならべてあります。

図書館では、本を、ないようやしゅるいによって分けて、おいてあります。物語は、物語のたなにまとめておいてあります。また、物語の中でも、外国のものと日本のものとに分けてあったり、同じ作者のものがまとめられていたりします。

本の分け方を知ると、読みたい本を早くさがすことができます。

漢字の広場

二年生で習った漢字③

▼時を表す言葉をあつめました。その時々の出来事をそうぞうして、文章を書きましょう。

れい

春は、校庭のさくらがさきます。そよ風にふかれてたくさんの花びらがまいます。

キリン

まど・みちお 詩
和田《わだ》 誠《まこと》 絵

キリンを　ごらん
足が　あるくよ
顔

くびが　おしてゆく
そらの　なかの
顔
キリンを　ごらん
足が　あるくよ

へんとつくり

漢字には、左と右の二つの部分に分けられるものがあります。左がわの部分を「へん」、右がわの部分を「つくり」といいます。

次のようなカードをたくさん作って、組み合わせゲームをしましょう。

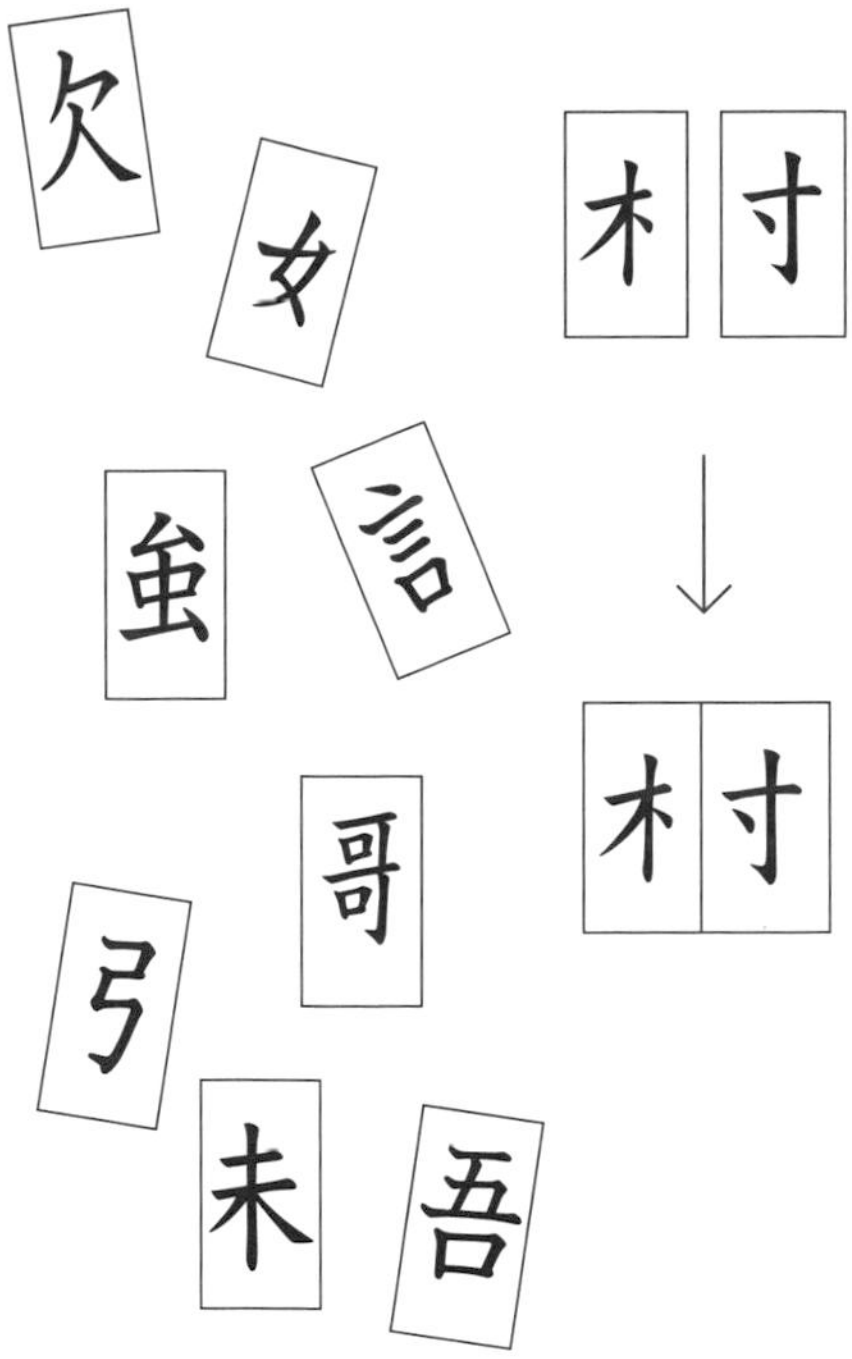

へん

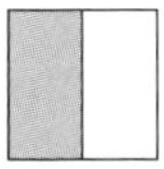

へんの中には、次のような名前のついたものがあります。

木　きへん
板（黒板・板の間）
柱（電柱・柱時計）

亻　にんべん
住（住所・町に住む）
係（関《かん》係・図書係）

糸　いとへん
紙（白紙・手紙）
緑（新緑・緑色）

「氵」は、「さんずい」といい、「水」という漢字が、ほかの字の左がわの部分になるときの形です。それで、さんずいのついた漢字は、水に関係があります。

黒板《バン》○　電柱《チュウ》○　住《ジュウ》所○　関係《ケイ》○　白《ハク》紙●　新緑《リョク》○

◆時計《とけい》

▼「きへん・にんべん・いとへん」のついた漢字は、何に関係があるでしょう。

つくり

つくりの中には、次のような名前のついたものがあります。

頁 おおがい
頭（頭上・頭をかく）
顔（顔面・顔をあらう）

攵 のぶん（ぼくにょう）
数（算数・数を数える）
放（放送・犬を放す）

力 ちから
助（助言・人助け）
動（動作・雲の動き）

◦流《なが》れる ◦波《なみ》 ◦港《みなと》 ◦湯《ゆ》 •頭《ズ》上 •顔《ガン》面 ◦放《ホウ》送 ◦助《ジョ》言《ゲン》 動•作《サ》

板 ハン バン いた
柱 チュウ はしら
住 ジュウ す**む** す**まう**
係 ケイ かか**る** かか**り**
緑 リョク みどり
流 リュウ なが**れる** なが**す**
波 ハ なみ
港 コウ みなと
湯 トウ ゆ
放 ホウ はな**す** はな**つ** はな**れる**
助 ジョ たす**ける** たす**かる**

↓89ページを見よう。

五　進んで話し合い、発表しよう

「分類《るい》」ということ

話す・聞く

話し合って、いろいろな見方・考え方を知りましょう。
調べて分かったことを、発表して知らせましょう。

次の絵にかかれたねこを、二つか三つのグループに分けましょう。

1 自分の考えと友だちの考えをくらべよう。

どのように分けたか、それは何を手がかりにしたのかを話し合って、たがいの考えの同じところやちがうところを見つけましょう。

ぼくは、手に何かを持っているねこと、何も持っていないねこの、二つに分けました。
「手に持っている」ことを手がかりにしたのは、山下さんと同じです。でも、わたしは、魚を持っている、かんづめを持っている、何も持っていない、の三つに分けました。
わたしは、二人とはちがって、洋服を着ているか着ていないかで分けました。

たいせつ

話し合いで大切なこと

友だちの意見を聞くときは、自分と同じところはどこか、ちがうところはどこかに注意しましょう。

友だちの意見で、分からないところは、しつもんしましょう。

話し合いでは、それぞれの考え方を、たがいによく分かり合うことが大切です。

○持《も》つ　○洋《ヨウ》服　○注《チュウ》意

〈資料《しりょう》〉

分類

いろいろなものがあるとき、その中の同じとくちょうをもつものどうしまとめて、全体をいくつかの集まりに分けることを、「分類」といいます。

スーパーマーケットに行くと、やさいがおいてある所、おかしがおいてある所というように、売り場が分かれているのに気づきます。これは、お客さんが買う物を見つけやすいように、商品をとくちょうによって分類しているのです。

わたしたち自身も、気づかないうちに、

○集《あつ》まり

○お客《キャク》さん

○商品《ヒン》

○自身《シン》

生活の中で分類をしています。つくえやたんすに引き出しがいくつかあれば、ここには何を入れ、ここには何を入れると決めていませんか。それが分類です。

「同じとくちょうをもつ」といっても、もののとくちょうは一つとはかぎりません。どのとくちょうに目を向けるかがちがえば、分類のしかたもちがってきます。

たとえば、衣《い》類を入れるたんすの引き出しを、お兄さん・お姉さん・あなたの三人で使うとします。お兄さんが着るもの、お姉さんが着るもの、あなたが着るものという分け方をしたら、それは、衣類を「だれが着るものか」というとくちょうで分類したことになります。でも、シャツとブラウス、ズボンとスカート、はだ着という分け方にしたら、

◆お兄《にい》さん
◆お姉《ねえ》さん

それは、衣類を「どのように着るものか」というとくちょうで分類したことになります。

また、一度分類したものも、その中でまた、ほかのとくちょうに目をつければ、もっと細かく分けることができます。

たとえば、お兄さん・お姉さん・あなたで引き出しを一度分けたとします。その後で、あなたが自分で引き出しの中を区切って、はだ着とそうでないものに分けたり、上半身に着るものと下半身に着るものに分けたりすることもできます。

分類は、何かをしたり考えたりするとき、とても役に立ちます。また、分類しようとして考えているうちに、それまで気づかなかったとくちょうを見つけたり、分け始めてから、どのグループにも当てはまらないものを発見したりすることもあります。それに、分類のしかたには、どのとくちょうに目を向けたかという、分類した人のものの見方や考え方が表れることもおもしろいですね。

○区《ク》切る

2 発表しよう。

身の回りで分類されているものをさがして、何が、どのように分類されているか、その分類がどんなことに役立っているかを発表しましょう。

たいせつ

発表するとき

・発表の前に、話す事がらを整理する。
・事がらのじゅんじょを考えて話す。
・大事な言葉がよく聞きとれるように話す。

ぼくは、レストランのメニューを見つけました。

そのメニューは、注文できる品物が、ごはん物・めん類・おかず・飲み物・デザートに分かれていました。

……

このように分類してあると、お客さんが食べたいものをさがしやすいと思いました。

・品《しな》物

インタビュー

分類されたものを調べるとき、ある人は、お店に行って商品の分け方をきいてみたいと思いました。

人に会って、知りたいことについて話をきくことを、インタビューといいます。

インタビューをするときは、前もって、だれに、どんなことをたずねるのかを考えて、決めておきましょう。そして、決めた相手におねがいをし、相手の都合に合わせて日時を決めます。

インタビューをするときは、次のことに気をつけて、ていねいな言葉づかいで話しましょう。

①あいさつをして、名前を言う。

②何をききに来たのかをつたえる。

③前もって考えておいたことを、じゅんじょよくたずねる。

④相手の話を注意ぶかく聞き、分からないときは、話の区切りでききかえしたり、しつもんしたりする。

⑤大事なことはメモにとる。

⑥ていねいにお礼を言う。

都
•合《ゴウ》

持 ジ もつ
洋 ヨウ
注 チュウ そそぐ
集 シュウ あつまる あつめる
客 キャク
品 ヒン しな
身 シン み
区 ク

↓89ページを見よう。

反対の意味の言葉

明るいときは見えなくて、暗いときに見えるもの、なあに。

「明るい」と「暗い」は、反対の意味を表す言葉です。

反対の意味には、次のようなものがあります。

・方向や関《かん》係が反対

上↕下　たて↕横

・様子やせいしつが反対

大きい↕小さい　明るい↕暗い

・人や物事の動きが反対

立つ↕すわる　売る↕買う

「ぬぐ」と「着る」は、反対の意味を表す言葉です。でも、「ぬぐ」の反対は、「着る」だけではありません。

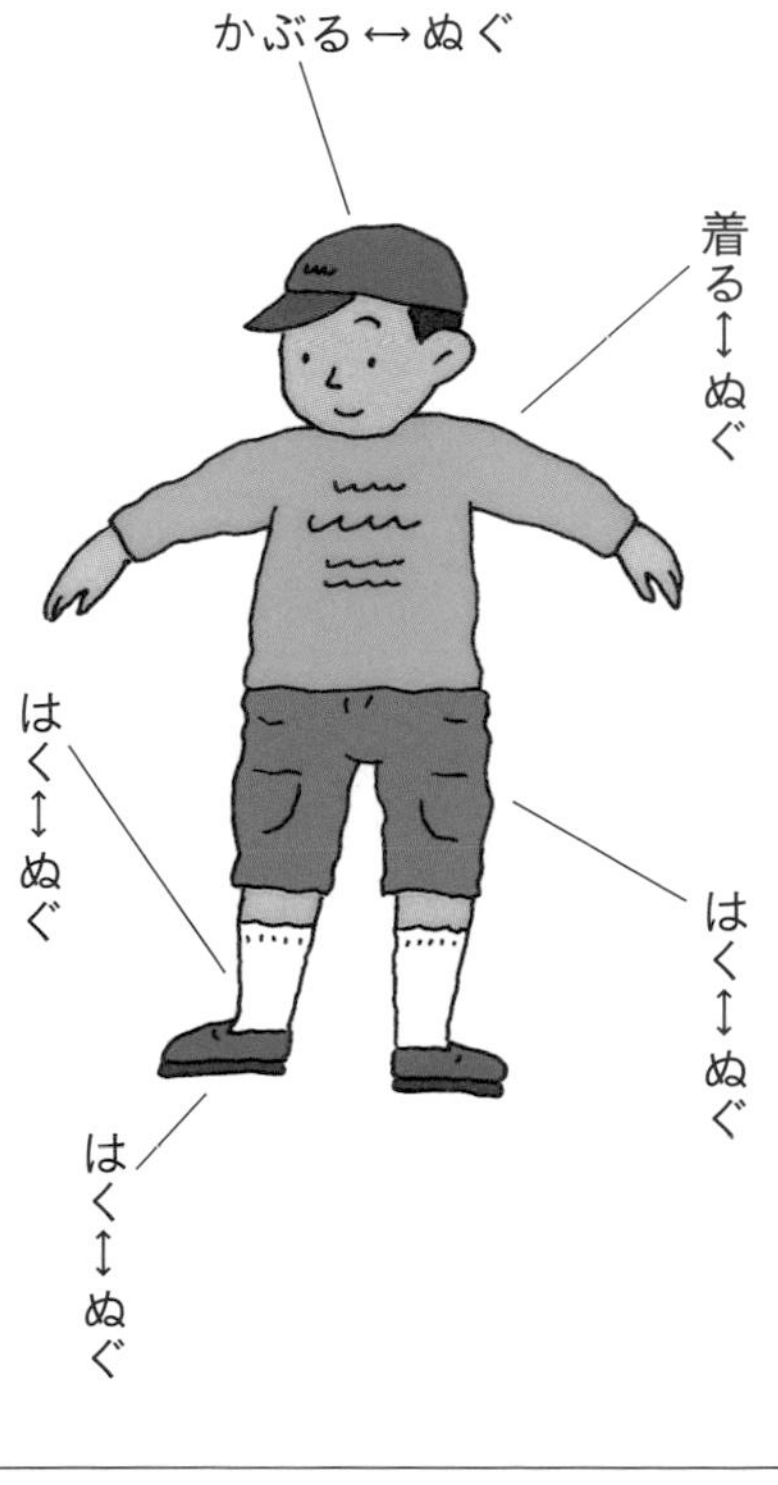
かぶる↔ぬぐ
着る↕ぬぐ
はく↕ぬぐ
はく↕ぬぐ
はく↕ぬぐ

○反対《ハンタイ》　○対《タイ》　○横《よこ》

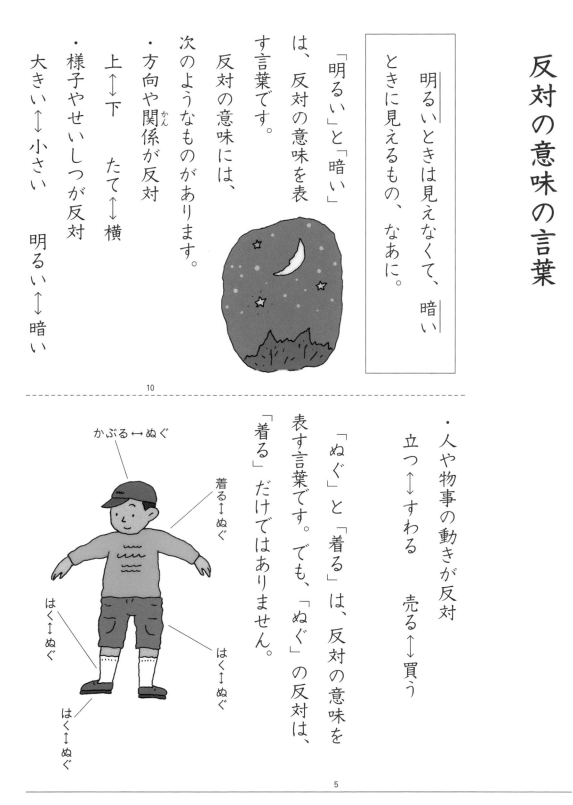

このように、一つの言葉に反対の意味の言葉がいくつかあるものもあります。

▼次の中から、反対の意味を表す言葉の組み合わせを見つけましょう。

勝つ　うれしい　よい　左　右　出る　重い　負ける　悪い　軽い　悲しい　入る

▼反対の意味の言葉の組み合わせを集めて、ゲームをしましょう。

①一まいのカードに一つの言葉を書いて、言葉カードをたくさん用意する。

②言葉カードをふせて、ばらばらにおく。

③二まいずつめくり、反対の意味の組み合わせができたら、カードをもらう。できなかったら、元にもどす。

○勝《か》つ　○軽《かる》い　○悲《かな》しい　○負《ま》ける　○悪《わる》い

●元《もと》

反　ハン　そる　そらす

対　タイ

横　オウ　よこ

勝　ショウ　かつ

軽　ケイ　かるい

悲　ヒ　かなしい　かなしむ

負　フ　まける　まかす　おう

悪　アク　わるい

↓90ページを見よう。

たいせつ

「たいせつ」のまとめ――こんなとき、役《やく》に立ちます。

話す・聞く

行き方や作り方をせつめいする	**せつめいをするとき・聞くとき** ――行き方・作り方など―― ・大事《じ》なことを、みじかい言葉《ことば》で話す。	52ページ
話し合う	**話し合いで大切なこと** ・友だちの意見《いけん》を注意《ちゅう》して聞く、など。	76ページ
発表《はっぴょう》する	**発表するとき** ・話す事《こと》がらを整理《せい》する、など。	80ページ
人にたずねる	**インタビュー** ・前もって、だれに、どんなことをたずねるかを決《き》める、など。	81ページ

書く

人をしょうたいする	**しょうたいじょうを書くとき** ・大事なことを落《お》とさずに書く。	23ページ
分かりやすく書く	**段落《だんらく》を分けて書く** ・事がらごとに段落を分けて書く。	44ページ

読む

物語《ものがたり》を読んで聞かせる	**聞く人に分かりやすく** ・言葉のむすびつきを考えて読む、など。	21ページ
ないようを読みとる	**まとまりに気をつけて読む** ――段落―― ・段落ごとのないようを考える。	31ページ
本を楽しむ	**おもしろさの発見** ・登場《とうじょう》人物《ぶつ》、出来事、物語のすじ、など。	63ページ
本をさがして読む	**本のさがし方** ・図書館《かん》の本の分け方を知る。	68ページ

この本で習《なら》う漢《かん》字

（　）は、小学校では習わない読み方。△は、上の学年で習う読み方。

9 ページ　商 漢字　⑪ 画《かく》数　ショウ（あきなう） 読み方　商売 使《つか》い方

きつつきの商売

商（9）⑪
ショウ　商売
（あきな**う**）

開（9）⑫
カイ　開店
ひら**く**　店を開く
ひら**ける**　道が開ける
あ**く**　ふたが開く
あ**ける**　ドアを開ける

真（10）⑩
シン　写真
ま　真っ先　真夏

葉（13）⑫
ヨウ　落葉
は　葉っぱ

実（15）⑧
ジツ　実験《けん》　真実
み　草の実
みの**る**　かきが実る

所（16）⑧
ショ　場所
ところ　人が多い所

習（20）⑪
シュウ　学習
なら**う**　ピアノを習う

登（20）⑫
トウ　登場人物
ト　登山
のぼ**る**　山に登る

物（20）⑧
ブツ　登場人物
モツ　食物
もの　物語

事（20）⑧
ジ　事実
（ズ）
こと　出来事

様（20）⑭
ヨウ　様子
さま　山下新一様

写（21）⑤
シャ　写真
うつ**す**　手本を写す
うつ**る**　写真に写る

落（22）⑫
ラク　落葉　落下
お**ちる**　葉が落ちる
お**とす**　はしを落とす

送（22）⑨
ソウ　放《ほう》送
おく**る**　手紙を送る

丁（23）②
チョウ　五丁目
（テイ）

相（23）⑨
ソウ　相談《だん》
（ショウ）
あい　相手　相づち

漢字の音《おん》と訓《くん》

漢（24）⑬
カン　漢字

起（24）⑩
キ　起立《りつ》
お**きる**　朝早く起きる
お**こる**　火事が起こる
お**こす**　体を起こす

意（24）⑬
イ　意味　意見《けん》

味（24）⑧
ミ　意味
あじ　しお味
あじ**わう**　食事を味わう

旅 24
⑩ 旅旅旅旅旅旅旅旅旅旅
リョ　旅行　旅館
たび　旅人

館 24
⑯ 館館館館館館館館
カン　旅館　図書館

薬 24
⑯ 薬薬薬薬薬薬薬薬
ヤク　火薬　薬局
くすり　目薬　かぜ薬

局 24
⑦ 局局局局局局局
キョク　薬局

両 25
⑥ 両両両両両両
リョウ　両親　両方

鼻 25
⑭ 鼻鼻鼻鼻鼻鼻鼻鼻
（ビ）
はな　鼻歌

ありの行列

列 26
⑥ 列列列列列列
レツ　行列　列車

庭 26
⑩ 庭庭庭庭庭庭庭庭
テイ　校庭　家庭
にわ　庭のすみ

者 27
⑧ 者者者者者者者者
シャ　学者　作者
もの　人気者

次 27
⑥ 次次次次次次
ジ　次回　目次
（シ）
つ**ぐ**　相次ぐ問題
つぎ　次の日

進 28
⑪ 進進進進進進進進
シン　行進　前進
すす**む**　前に進む
すす**める**　車を進める

着 28
⑫ 着着着着着着着着
チャク　着地　定《てい》着
（ジャク）
き**る**　シャツを着る
き**せる**　上着を着せる
つ**く**　学校に着く
つ**ける**　エプロンを着ける

面 29
⑨ 面面面面面面面面面
メン　地面　場面
（おも）
（おもて）
（つら）

仕 29
⑤ 仕仕仕仕仕
シ　仕組み　仕事
（ジ）
つか**える**　王に仕える

研 29
⑨ 研研研研研研研研研
ケン　研究
（と**ぐ**）

究 29
⑦ 究究究究究究究
キュウ　研究
（きわ**める**）

発 31
⑨ 発発発発発発発発発
ハツ　発表　発言《げん》
（ホツ）

表 31
⑧ 表表表表表表表表
ヒョウ　発表　表紙
おもて　表とうら
あらわ**す**　考えを表す
あらわ**れる**　顔に表れる

問 31
⑪ 問問問問問問問問
モン　問題
と**う**　わけを問う
と**い**　問いに答える
△とん　問屋《や》

章 31
⑪ 章章章章章章章章
ショウ　文章

題 31
⑱ 題題題題題題題題
ダイ　題名　宿《しゅく》題

終 32
⑪ 終終終終終終終終
シュウ　終点　終業式《ぎょうしき》
お**わる**　夏が終わる
お**える**　仕事を終える

国語辞典《じてん》を使おう

使 34
⑧ 使使使使使使使使
シ　使用
つか**う**　はしを使う

役 34
⑦ 役役役役役役役
ヤク　役に立つ
（エキ）

始 35
⑧
- シ　開始
- はじ**める**　仕事を始める
- はじ**まる**　工事が始まる

調 35
⑮
- チョウ　調子　体調
- しら**べる**　言葉を調べる
- （ととの**う**）
- （ととの**える**）

由 36
⑤
- △ユ　由来
- ユウ　自由　理由
- （ユイ）
- （よし）

宮 36
⑩
- キュウ　宮でん　王宮
- （グウ）
- （ク）
- みや　お宮まいり

屋 36
⑨
- オク　屋上　屋外
- や　山小屋　魚屋

礼 36
⑤
- レイ　お礼
- （ライ）

温 37
⑫
- オン　温度《ど》　気温
- あたた**か**　温かな心
- あたた**かい**　温かいあま酒
- あたた**まる**　体が温まる
- あたた**める**　水を温める

酒 37
⑩
- シュ　日本酒
- さけ　あま酒
- さか　酒屋

球 37
⑪
- キュウ　野球　地球
- たま　球をなげる

号 37
⑤
- ゴウ　番号　記号

わたしと小鳥とすずと

詩 38
⑬
- シ　詩を楽しむ

おもしろいもの、見つけた

決 41
⑦
- ケツ　決意　決定《てい》
- き**める**　名前を決める
- き**まる**　会場が決まる

動 41
⑪
- ドウ　動物園　行動
- うご**く**　電車が動く
- うご**かす**　体を動かす

整 41
⑯
- セイ　整理　調整
- ととの**える**　形を整える
- ととの**う**　室内が整う

度 41
⑨
- ド　一度　今度
- （ト）
- （タク）
- （たび）

向 42
⑥
- コウ　方向　向上
- む**く**　前を向く
- む**ける**　顔を向ける
- む**かう**　駅へ向かう
- む**こう**　道の向こう

駅 42
⑭
- エキ　駅前

全 42
⑥
- ゼン　全体　全校
- まった**く**　全く知らない

くわしくする言葉

主 46
⑤
- シュ　主語　主人公
- （ス）
- ぬし　もち主
- おも　主な登場人物

部 46
⑪
- ブ　部分　全部

遊 47
⑫
- ユウ　遊園地
- （ユ）
- あそ**ぶ**　公園で遊ぶ

都 47
⑪
- ト　京都　都会
- ツ　都合《ごう》
- みやこ　すめば都

湖 47
⑫
コ　湖水　湖上
みずうみ　大きな湖
湖湖湖湖湖湖湖湖

美 47
⑨
ビ　美声《せい》　美容院《よういん》
うつく**しい**　美しい花
美美美美美美美美

氷 48
⑤
ヒョウ　氷山
こおり　氷がとける
（ひ）
氷氷氷氷氷

投 48
⑦
トウ　投手　投書
な**げる**　球を投げる
投投投投投投投

泳 48
⑧
エイ　水泳　遠泳
およ**ぐ**　魚が泳ぐ
泳泳泳泳泳泳泳泳

道あんないをしよう

童 50
⑫
ドウ　児《じ》童館　童話
（わらべ）
童童童童童童童童

指 50
⑨
シ　指名
ゆび　指でたどる
さ**す**　東を指す
指指指指指指指指

銀 51
⑭
ギン　銀行　銀色
銀銀銀銀銀銀銀銀

央 51
⑤
オウ　中央
央央央央央

服 53
⑧
フク　服を着る
服服服服服服服服

福 53
⑬
フク　幸福
福福福福福福福福

秒 53
⑨
ビョウ　一秒
秒秒秒秒秒秒秒秒

幸 53
⑧
コウ　幸福
さいわ**い**　幸い元気だ
（さち）
しあわ**せ**　幸せにくらす
幸幸幸幸幸幸幸幸

三年とうげ

息 54
⑩
ソク　休《きゅう》息
いき　ため息
息息息息息息息息

昔 55
⑧
（セキ）
（シャク）
むかし　昔話
昔昔昔昔昔昔昔昔

転 55
⑪
テン　回転　転校
ころ**がる**　球が転がる
ころ**げる**　転げ落ちる
ころ**がす**　球を転がす
ころ**ぶ**　山道で転ぶ
転転転転転転転転

急 56
⑨
キュウ　急行　急用
いそ**ぐ**　道を急ぐ
急急急急急急急急

暗 56
⑬
アン　暗記　暗号
くら**い**　暗い道
暗暗暗暗暗暗暗暗

病 58
⑩
ビョウ　病気　重病
（ヘイ）
（や**む**）
やまい　病は気から
病病病病病病病病

医 58
⑦
イ　医者
医医医医医医医

飲 58
⑫
イン　飲食
の**む**　薬を飲む
飲飲飲飲飲飲飲飲

重 58
⑨
ジュウ　体重　重病
チョウ　軽《けい》重　貴《き》重
（え）
おも**い**　重い病気
かさ**ねる**　さらを重ねる
かさ**なる**　用事が重なる
重重重重重重重重

配 58
⑩
ハイ　心配　分配
くば**る**　新聞を配る
配配配配配配配配

死 59
⑥ シ　し**ぬ**
死者　生死
病気で死ぬ
死死死死死死

代 63
⑤ ダイ　タイ　か**わる**　か**える**　△よ　（しろ）
時代　代表
交代
当番を代わる
当番を代える
千《ち》代紙
代代代代代

本は友だち

倍 67
⑩ バイ
何倍　二倍
倍倍倍倍倍倍倍倍倍倍

へんとつくり

板 72
⑧ ハン　バン　いた
合《ごう》板　鉄《てっ》板
黒板
板の間
板板板板板板板板

柱 72
⑨ チュウ　はしら
電柱
柱時計
柱柱柱柱柱柱柱柱柱

住 72
⑦ ジュウ　す**む**　す**まう**
住所
町に住む
古い住まい
住住住住住住住

係 72
⑨ ケイ　か**かる**　かかり
関《かん》係
主語に係る
図書係
係係係係係係係係係

緑 72
⑭ リョク　（ロク）　みどり
新緑
緑色　黄緑
緑緑緑緑緑緑緑緑

流 73
⑩ リュウ　（ル）　なが**れる**　なが**す**
流行
川が流れる
あせを流す
流流流流流流流流流流

波 73
⑧ ハ　なみ
電波
波が高い
波波波波波波波波

港 73
⑫ コウ　みなと
出《しゅっ》港　空《くう》港
港町
港港港港港港港港

湯 73
⑫ トウ　ゆ
熱《ねっ》湯
湯をわかす
湯湯湯湯湯湯湯湯湯湯

放 73
⑧ ホウ　はな**す**　はな**つ**　はな**れる**
放送
魚を放す
矢を放つ
放れた鳥
放放放放放放放放

助 73
⑦ ジョ　たす**ける**　たす**かる**　（すけ）
助言　助手
人を助ける
運《うん》よく助かる
助助助助助助助

「分類《るい》」ということ

持 76
⑨ ジ　も**つ**
所持品　持病
手に持つ
持持持持持持持持持

洋 76
⑨ ヨウ
洋服　洋食
洋洋洋洋洋洋洋洋洋

注 76
⑧ チュウ　そそ**ぐ**
注意　注文
お茶を注ぐ
注注注注注注注注

集 77
⑫ シュウ　あつ**まる**　あつ**める**　（つど**う**）
集合　文集
広場に集まる
切手を集める
集集集集集集集集集

客 77
⑨ キャク　（カク）
お客さん
客客客客客客客客客

品 77
⑨ ヒン　しな
商品　作品
品物　手品
品品品品品品品品品

身 77
⑦ シン　み
自身　上半身
身の回り
身身身身身身身

区 79
④ ク
区切る　地区
区区区区

反対の意味の言葉

反 82 ④
- ハン　反対　反発
- （ホン）
- （タン）
- そる　板が反る
- そらす　むねを反らす
- 反反反反

対 82 ⑦
- タイ　反対　対決
- （ツイ）
- 対対対対対対対

横 82 ⑮
- オウ　横転
- よこ　横顔
- 横横横横横横横横

勝 83 ⑫
- ショウ　勝負
- かつ　試《し》合に勝つ
- （まさる）
- 勝勝勝勝勝勝勝勝

軽 83 ⑫
- ケイ　軽重
- かるい　軽いかばん
- （かろやか）
- 軽軽軽軽軽軽軽軽

悲 83 ⑫
- ヒ　悲鳴《めい》
- かなしい　悲しい物語
- かなしむ　死を悲しむ
- 悲悲悲悲悲悲悲悲

負 83 ⑨
- フ　勝負
- まける　試《し》合に負ける
- まかす　言い負かす
- おう　きずを負う
- 負負負負負負負負

悪 83 ⑪
- アク　悪人　悪用
- （オ）
- わるい　気分が悪い
- 悪悪悪悪悪悪悪悪

これまでに習《なら》った漢字《かん》

（　）は、小学校では習わない読み方。△は、これから習う読み方。

学年	漢字	画《かく》数	読み方	使《つか》い方
1	花	⑦	カ／はな	花だん　開《かい》花／花たば　花火

あ

兄（あに）→「ケイ」を見よう。
姉（あね）→「シ」を見よう。

い

妹（いもうと）→「マイ」を見よう。

一 1 ①
- イチ　一番　一年生
- △イツ　同《どう》一
- ひと　一口
- ひとつ　一つ

引 2 ④
- △イン　引力《りょく》　引火
- ひく　つなを引く
- ひける　気が引ける
- 引引引引

う

右 1 ⑤
- △ウ　右折《せつ》
- ユウ　左右
- みぎ　右手　右がわ

羽 2 ⑥
- （ウ）　羽音
- △は
- はね　とんぼの羽
- 羽羽羽羽羽羽

雨 1 ⑧
- △ウ　雨天
- あめ　大雨　雨ふり
- あま　雨水　雨戸

雲 2 ⑫
- △ウン　雲海《かい》
- くも　雨雲
- 雲雲雲雲雲雲雲雲

え

円 1 ④
- エン　百円　半円
- △まるい　円いまど

園 2 ⑬
- エン　公園　動物《どうぶつ》園
- （その）
- 園園園園園園園

遠 2 ⑬
- エン　遠足
- （オン）
- とおい　家が遠い
- 遠遠遠遠遠遠遠

お

黄（オウ）→「コウ」を見よう。
弟（おとうと）→「テイ」を見よう。

王 1 ④
- オウ　国王

音 1 ⑨
- オン　音楽
- （イン）
- おと　足音
- ね　音色　本音

か

川（かわ）→「セン」を見よう。

下 1 ③
- カ　ろう下　地下
- ゲ　上下　下校
- した　年下　下書き
- しも　川下
- （もと）
- さ**げる**　頭を下げる
- さ**がる**　気温《おん》が下がる
- くだ**る**　川を下る
- くだ**す**　手を下す
- くだ**さる**　本を下さる
- お**ろす**　手を下ろす
- お**りる**　山から下りる

火 1 ④
- カ　火山　火曜日
- ひ　花火　たき火
- （ほ）

花 1 ⑦
- カ　花だん　開《かい》花
- はな　花たば　花火

何 2 ⑦
- （カ）
- なに　何を食べるか
- なん　何人　何年

何何何何何何何

科 2 ⑨
- カ　教科書　理科

科科科科科科科

夏 2 ⑩
- △カ　初《しょ》夏
- （ゲ）
- なつ　夏休み

夏夏夏夏夏夏夏

家 2 ⑩
- カ　画家　家族《ぞく》
- ケ　家来
- いえ　家へ帰る
- △や　空《あ》き家

家家家家家家家

歌 2 ⑭
- カ　歌手　校歌
- うた　歌声
- うた**う**　歌を歌う

歌歌歌歌歌歌歌歌

画 2 ⑧
- ガ　画用紙　画家
- △カク　計画　画数

画画画画画画画画

回 2 ⑥
- △カイ　回数　今回
- （エ）
- まわ**る**　水車が回る
- まわ**す**　こまを回す

回回回回回回

会 2 ⑥
- カイ　会社　大会
- （エ）
- あ**う**　友だちに会う

会会会会会会

海 2 ⑨
- △カイ　海水　海外
- うみ　青い海

海海海海海海海

絵 2 ⑫
- △カイ　絵画
- エ　絵本　絵日記

絵絵絵絵絵絵絵

貝 1 ⑦
- かい　貝がら

外 2 ⑤
- ガイ　外国
- （ゲ）
- そと　外で遊《あそ》ぶ
- △ほか　思いの外
- △はず**す**　ボタンを外す
- △はず**れる**　道から外れる

外外外外外

角 2 ⑦
- カク　三角　方角
- △かど　まがり角
- △つの　牛の角

角角角角角角角

学 1 ⑧
- ガク　学校　学年
- △まな**ぶ**　字を学ぶ

楽 2 ⑬
- ガク　音楽
- △ラク　気楽　楽園
- たの**しい**　楽しい夏休み
- たの**しむ**　読《ど》書を楽しむ

楽楽楽楽楽楽楽

活 2 ⑨
- カツ　生活　活発《ぱつ》

活活活活活活活

間 2 ⑫
- カン　時間　中間
- △ケン　人間
- あいだ　しばらくの間
- △ま　昼間　広間

間間間間間間間

丸 2 ③
- △ガン　一丸となる
- まる　丸をつける
- まる**い**　丸い玉
- まる**める**　紙を丸める

丸丸丸

岩 2 ⑧
- △ガン　岩石《せき》　火山岩
- いわ　岩山　岩場

岩岩岩岩岩岩岩

顔 2 ⑱
- △ガン　顔面《めん》
- かお　顔をあらう

顔顔顔顔顔顔顔

き

黄（き）→「コウ」を見よう。
兄（キョウ）→「ケイ」を見よう。

気 1 ⑥
- キ　天気　気分
- △ケ　気配《はい》

汽 2 ⑦
- キ　汽車　汽船《せん》

汽汽汽汽汽汽汽

記 2 ⑩
- キ　日記　記入
- △しる**す**　ノートに記す

記記記記記記記

帰 2 ⑩
- △キ　帰国
- かえ**る**　家に帰る
- かえ**す**　先に帰す

帰帰帰帰帰帰帰

九 1 ②
- キュウ　九本　九百円
- ク　九月　九九
- ここの　九日
- ここの**つ**　九つ

弓 2 ③
- （キュウ）
- ゆみ　弓矢

弓弓弓

休 1 ⑥
- △キュウ　休日《じつ》
- やす**む**　学校を休む
- やす**まる**　気が休まる
- やす**める**　体を休める

牛
2 ④
ギュウ　牛肉　水牛
うし　牛をかう
牛牛牛牛

魚
2 ⑪
ギョ　金魚
うお　魚市場
さかな　小魚　魚つり
魚魚魚魚魚魚

京
2 ⑧
キョウ　東京　京都《と》
（ケイ）
京京京京京京京

強
2 ⑪
△キョウ　強力《りょく》
（ゴウ）
つよ**い**　力が強い
つよ**まる**　風が強まる
つよ**める**　火を強める
（し**いる**）
強強強強強強

教
2 ⑪
キョウ　教科書　教室
おし**える**　道を教える
おそ**わる**　先生に教わる
教教教教教教教

玉
1 ⑤
△ギョク　玉石《せき》
たま　玉入れ　水玉

近
2 ⑦
△キン　近所《じょ》　遠近
ちか**い**　家から近い
近近近近近近

金
1 ⑧
キン　金曜日　大金
△コン　黄金《おう》
かね　お金　はり金
△かな　金あみ

く

空
1 ⑧
△クウ　空気　上空
そら　青い空　星空
あ**く**　せきが空く
あ**ける**　家を空ける
から　空手　空っぽ

け

兄
2 ⑤
（ケイ）
キョウ　兄弟
あに　兄と弟
兄兄兄兄

形
2 ⑦
△ケイ　図形　三角形
ギョウ　人形
△かた　形見　花形
かたち　形を整《ととの》える
形形形形形形形

計
2 ⑨
ケイ　計算　会計
はか**る**　時間を計る
はか**らう**　見計らう
計計計計計計計計

月
1 ④
ゲツ　月曜日　今月
ガツ　正月　三月
つき　毎月　月見

犬
1 ④
△ケン　番犬
いぬ　犬をかう

見
1 ⑦
△ケン　見学　発見《はっ》
み**る**　かがみを見る
み**える**　空が見える
み**せる**　絵を見せる

元
2 ④
ゲン　元気
△ガン　元来　元日《じつ》
△もと　足元
元元元元

言
2 ⑦
△ゲン　発《はっ》言
△ゴン　伝《でん》言
い**う**　意見《いけん》を言う
△こと　言葉《ば》　ひと言
言言言言言言言

原
2 ⑩
ゲン　草原　原作
はら　野原　原っぱ
原原原原原原

こ

戸
2 ④
△コ　戸外
と　雨戸　戸だな
戸戸戸戸

古
2 ⑤
△コ　中古車
ふる**い**　古い寺
ふる**す**　使《つか》い古す
古古古古古

五
1 ④
ゴ　五人　五年生
いつ　五日
いつ**つ**　五つ

午
2 ④
ゴ　午前　正午
午午午午

後
2 ⑨
ゴ　前後　午後
△コウ　後半　後方
△のち　くもり後晴れ
うし**ろ**　後ろを向《む》く
あと　後書き　後味《あじ》
（おく**れる**）
後後後後後後後

語
2 ⑭
ゴ　国語　主語《しゅ》
かた**る**　昔話《むかし》を語る
かた**らう**　友と語らう
語語語語語語語

口
1 ③
△コウ　火口　人口
△ク　口調《ちょう》
くち　出口　口ぶえ

工
2 ③
コウ　図工　工場《じょう》
△ク　大工
工工工

公
2 ④
コウ　公園
（おおやけ）
公公公公

広
2 ⑤
△コウ　広大
ひろ**い**　広い海
ひろ**まる**　話が広まる
ひろ**める**　見聞《けん》を広める
ひろ**がる**　青空が広がる
ひろ**げる**　道を広げる
広広広広広

交 2 ⑥
コウ　交番　交通《つう》
まじわる　道が交わる
まじえる　刀を交える
△まじる　かな交じり
まざる　小石が交ざる
まぜる　トランプを交ぜる
（かう）
（かわす）
交交交交交交

光 2 ⑥
△コウ　日光　光線
ひかる　星が光る
ひかり　まぶしい光
光光光光光光

考 2 ⑥
△コウ　思考《し》
かんがえる　答えを考える
考考考考考考

行 2 ⑥
△コウ　行進《しん》
ギョウ　行事《じ》　行列《れつ》
（アン）
いく　学校へ行く
△ゆく　行く手
△おこなう　入学式《しき》を行う
行行行行行行

校 1 ⑩
コウ　学校　校門

高 2 ⑩
△コウ　高学年　高校
たかい　せいが高い
たか　高とび
たかまる　人気が高まる
たかめる　声を高める
高高高高高高

黄 2 ⑪
（コウ）
△オウ　黄金《ごん》
き　黄色
（こ）
黄黄黄黄黄黄

合 2 ⑥
△ゴウ　合計　集合《しゅう》
ガッ　合体
△カッ　合戦《せん》
あう　意見《いけん》が合う
あわす　手を合わす
あわせる　力を合わせる
合合合合合合

谷 2 ⑦
（コク）
たに　谷間《ま》　谷川
谷谷谷谷谷谷

国 2 ⑧
コク　国語　外国
くに　北国　雪国
国国国国国国国国

黒 2 ⑪
コク　黒板《ばん》
くろ　白黒
くろい　黒い雨雲
黒黒黒黒黒黒

今 2 ④
コン　今週　今月
（キン）
いま　今すぐ行く
今今今今

さ

左 1 ⑤
サ　左右　左折《せつ》
ひだり　左手　左がわ

才 2 ③
サイ　天才
才才才

細 2 ⑪
△サイ　細工《く》　細心《しん》
ほそい　細い糸
ほそる　やせ細る
△こまか　細かな文字
こまかい　細かいあわ
細細細細細細

作 2 ⑦
サク　作者《しゃ》　工作
△サ　動作《どう》　作業《ぎょう》
つくる　米を作る
作作作作作作作

三 1 ③
サン　三番　三年生
み　三日月　三毛
みつ　三つおり
みっつ　三つ

山 1 ③
サン　登山《と》　火山
やま　山登《のぼ》り

算 2 ⑭
サン　算数　足し算
算算算算算算

し

子 1 ③
△シ　王子　調子《ちょう》
△ス　様子《よう》
こ　子ども　子犬

止 2 ④
△シ　中止
とまる　電車が止まる
とめる　車を止める
止止止止

四 1 ⑤
シ　四月　四角
よ　四人　四年生
よつ　四つ角《かど》
よっつ　四つ
よん　四まい　四回《かい》

市 2 ⑤
△シ　市役所《やくしょ》
いち　市場　朝市
市市市市市

矢 2 ⑤
（シ）
や　矢じるし
矢矢矢矢矢

糸 1 ⑥
△シ
いと　綿糸《めん》　毛糸　たこ糸

姉 2 ⑧
（シ）
あね　姉と妹
姉姉姉姉姉姉姉姉

思 2 ⑨
△シ　思考《こう》
おもう　うれしく思う
思思思思思思

紙 2 ⑩
シ　新聞紙
かみ　手紙　紙くず
紙紙紙紙紙紙紙

字 1 ⑥
ジ　数字　文字
（あざ）

耳 1 ⑥
（ジ）
みみ　耳たぶ　空耳

寺 2 ⑥
△ジ　寺社
てら　山寺　寺の門
寺寺寺寺寺寺

自 2 ⑥
ジ　自分　自習《しゅう》
△シ　自然《ぜん》
△みずか**ら**　自ら行《おこな》う
自自自自自自

時 2 ⑩
ジ　時間　当時
とき　時は金なり
時時時時時時時時時時

七 1 ②
シチ　七五三
なな　七草　七色
なな**つ**　七つ
なの　七日

室 2 ⑨
シツ　教室　室内《ない》
（むろ）
室室室室室室室室室

車 1 ⑦
シャ　電車　自転車《てん》
くるま　車いす　糸車

社 2 ⑦
シャ　社会　会社
△やしろ　社のおまつり
社社社社社社社

弱 2 ⑩
△ジャク　弱点　弱小
よわ**い**　気が弱い
よわ**る**　体が弱る
よわ**まる**　雨が弱まる
よわ**める**　音を弱める
弱弱弱弱弱弱弱弱弱弱

手 1 ④
シュ　あく手　手話
て　手作り　手足
（た）

首 2 ⑨
△シュ　首都《と》
くび　首かざり
首首首首首首首首首

秋 2 ⑨
△シュウ　秋分の日
あき　秋まつり
秋秋秋秋秋秋秋秋秋

週 2 ⑪
シュウ　一週間　毎週
週週週週週週週週週週週

十 1 ②
ジュウ　十人
ジッ　十本　十回《かい》
とお　十日
△と　十人十色

出 1 ⑤
△シュツ　出場《じょう》　外出
（スイ）
で**る**　外に出る
だ**す**　手紙を出す

春 2 ⑨
△シュン　新春
はる　春一番　春先
春春春春春春春春春

書 2 ⑩
ショ　図書館《かん》　書店《てん》
か**く**　字を書く
書書書書書書書書書書

女 1 ③
△ジョ　少女
（ニョ）
（ニョウ）
おんな　女の子
（め）

小 1 ③
ショウ　小学生　大小
ちい**さい**　小さいねこ
こ　小声　小鳥
△お　小川

少 2 ④
ショウ　少人数　少年
△すく**ない**　雨が少ない
すこ**し**　ほんの少し
少少少少

上 1 ③
ジョウ　上下　屋上《おく》
（ショウ）
うえ　上の方
うわ　上ばき　上着《ぎ》
かみ　川上　風上《かざ》
あ**げる**　たなに上げる
あ**がる**　気温《おん》が上がる
のぼ**る**　さかを上る
（のぼ**せる**）
（のぼ**す**）

場 2 ⑫
△ジョウ　会場　工場
ば　立場　場合
場場場場場場場場場場場場

色 2 ⑥
△ショク　原色　配色《はい》
△シキ　色紙　色調《ちょう》
いろ　黄色　空色
色色色色色色

食 2 ⑨
ショク　朝食　食事《じ》
（ジキ）
く**う**　めしを食う
（く**らう**）
た**べる**　魚を食べる
食食食食食食食食食

心 2 ④
△シン　中心　心配《ぱい》
こころ　心をこめる
心心心心

森 1 ⑫
△シン　森林《りん》
もり　森の中

新 2 ⑬
シン　新入生　新聞
あたら**しい**　新しい教科書
△あら**た**　新たな計画《かく》
（にい）
新新新新新新新新新新新新新

親 2 ⑯
シン　親切　両親《りょう》
おや　親子　親方
した**しい**　親しい友だち
△した**しむ**　読書《どく》に親しむ
親親親親親親親親親親親親親親親親

す

人 1 ②
ジン　名人　人生
ニン　人気　人間《げん》
ひと　人手　人ごみ

図 2 ⑦
ズ　図形《けい》　合図
ト　図書館《かん》
（はか**る**）
図図図図図図図

水 1 ④
スイ　地下水　水道《どう》
みず　水着《ぎ》　雨水

数 2 ⑬
スウ　数字　回数《かい》
（ス）
かず　大きな数
かぞ**える**　百まで数える
数数数数数数数数数数数数数

せ

正 1 ⑤
セイ　正門
ショウ　正月　正直《じき》
ただ**しい**　正しい答え
ただ**す**　しせいを正す
△まさ　正ゆめ

生 1 ⑤
セイ △ショウ いきる いかす いける うまれる うむ （おう） はえる はやす （き） △なま
先生　三年生　一生　長く生きる　考えを生かす　花を生ける　妹が生まれた　新記録《ろく》を生む　草が生える　ひげを生やす　生たまご

西 2 ⑥
△セイ △サイ にし
西洋《よう》　東西　西風　西日
西西西西西西

声 2 ⑦
△セイ （ショウ） こえ （こわ）
音声　大声　歌声
声声声声声声声

青 1 ⑧
△セイ （ショウ） あお あおい
青年　青春《しゅん》　青空　青白い　青い海

星 2 ⑨
△セイ （ショウ） ほし
火星　星空　流《なが》れ星
星星星星星星星

晴 2 ⑫
△セイ はれる はらす
晴天　晴れた空　見晴らし
晴晴晴晴晴晴晴

夕 1 ③
（セキ） ゆう
夕方　夕立

石 1 ⑤
△セキ △シャク （コク） いし
岩《がん》石　磁《じ》石　石ころ　小石

赤 1 ⑦
△セキ （シャク） あか あかい あからむ あからめる
赤道《どう》　赤組　赤字　赤い花　顔が赤らむ　顔を赤らめる

切 2 ④
セツ （サイ） きる きれる
大切　親切　紙を切る　よく切れる
切切切切

雪 2 ⑪
△セツ ゆき
新雪　雪原　雪かき　大雪
雪雪雪雪雪雪雪

千 1 ③
セン △ち
千円さつ　千代《よ》紙

川 1 ③
（セン） かわ
川魚　小川《お》

先 1 ⑥
セン さき
先生　先頭　庭《にわ》先　手先

船 2 ⑪
△セン ふね △ふな
汽船　風《ふう》船　船にのる　船のり　船旅《たび》
船船船船船船船

線 2 ⑮
セン
点線　電線
線線線線線線線

前 2 ⑨
ゼン まえ
食前　前回《かい》　学校の前
前前前前前前前

そ

組 2 ⑪
△ソ くむ くみ
組織《しき》　かたを組む　白組
組組組組組組組

早 1 ⑥
△ソウ （サッ） はやい はやまる はやめる
早朝　早く起《お》きる　開《かい》始《し》が早まる　食事《じ》を早める

走 2 ⑦
△ソウ はしる
百メートル走　馬が走る
走走走走走走走

草 1 ⑨
ソウ くさ
草原　野《や》草　草花　道草

足 1 ⑦
ソク あし たりる たる たす
土足　遠足　足ぶみ　足音　お金が足りる　三日足らず　水を足す

村 1 ⑦
△ソン むら
村長《ちょう》　村人

た

弟（ダイ）→「テイ」を見よう。
谷（たに）→「コク」を見よう。

多 2 ⑥
△タ おおい
多少　多数　人が多い
多多多多多多

太 2 ④
タイ △タ ふとい ふとる
太陽《よう》　丸太　太いロープ　太った牛
太太太太

体 2 ⑦
タイ （テイ） からだ
体育《いく》　体そう　体をきたえる
体体体体体体体

大 1 ③
ダイ タイ おお おおきい おおいに
大地　重大《じゅう》　大切　大金　大雨　大声　大きい犬　大いに歌う

台 2 ⑤
ダイ △タイ
土台　台本　台風《ふう》　屋《や》台
台台台台台

男 1 ⑦
△ダン △ナン おとこ
男子《し》　男女《じょ》　次《じ》男　男の子

ち

地 2 ⑥
チ △ジ
地図　地方　地面《めん》
地地地地地地

池 2 ⑥
△チ いけ
電池　用水池　池の魚
池池池池池池

知 2 ⑧
△チ しる
知人　漢《かん》字を知る
知知知知知知知

竹 1 ⑥
△チク たけ
竹林《りん》　竹やぶ　青竹

茶 2 ⑨
チャ
（サ）
茶色　新茶
茶茶茶茶茶茶茶

中 1 ④
チュウ
なか
空《くう》中　中学生
真《ま》ん中　夜《よ》中

虫 1 ⑥
△チュウ
むし
こん虫　毛虫
虫かご

昼 2 ⑨
△チュウ
ひる
昼食
昼休み
昼昼昼昼昼昼昼

町 1 ⑦
△チョウ
まち
町長《ちょう》
町工場　下町

長 2 ⑧
△チョウ
なが**い**
校長　長所《しょ》
長い休み
長長長長長長長

鳥 2 ⑪
△チョウ
とり
野《や》鳥　白《はく》鳥
小鳥　鳥かご
鳥鳥鳥鳥鳥鳥鳥

朝 2 ⑫
チョウ
あさ
朝食　早《そう》朝
朝顔　朝日
朝朝朝朝朝朝朝

直 2 ⑧
△チョク
△ジキ
△ただち**に**
なお**す**
なお**る**
直線　日直
正直
直ちに行《おこな》う
テレビを直す
きげんが直る
直直直直直直直

つ

通 2 ⑩
△ツウ
（ツ）
とお**る**
とお**す**
△かよ**う**
通学　交通
車が通る
糸を通す
学校に通う
通通通通通通通

て

弟 2 ⑦
（テイ）
ダイ
（デ）
おとうと
兄弟
弟と妹
弟弟弟弟弟弟弟

天 1 ④
テン
（あめ）
あま
天気　天才
天の川

店 2 ⑧
△テン
みせ
商《しょう》店　書店
店先　店番
店店店店店店店

点 2 ⑨
テン
点数　点字
点点点点点点点

田 1 ⑤
△デン
た
水田　田園
田んぼ

電 2 ⑬
デン
電気　電話
電電電電電電電

と

土 1 ③
ド
ト
つち
土曜日　土手
土地
赤土

刀 2 ②
△トウ
かたな
木《ぼく》刀
小刀
刀刀

冬 2 ⑤
△トウ
ふゆ
冬みん
冬休み　真《ま》冬
冬冬冬冬冬

当 2 ⑥
トウ
あた**る**
あて**る**
当番　本当
日が当たる
まとに当てる
当当当当当当

東 2 ⑧
トウ
ひがし
東西《ざい》　東京
東の空
東東東東東東東

答 2 ⑫
△トウ
こた**える**
こた**え**
返《へん》答
問《と》いに答える
正しい答え
答答答答答答答

頭 2 ⑯
トウ
△ズ
（ト）
あたま
（かしら）
先頭　三頭
頭上
頭をあらう
頭頭頭頭頭頭頭

同 2 ⑥
△ドウ
おな**じ**
同時　合《ごう》同
同じクラス
同同同同同同

道 2 ⑫
△ドウ
（トウ）
みち
車道　歩《ほ》道
道を教える
道道道道道道道

読 2 ⑭
△ドク
△トク
△トウ
よ**む**
音読　読者《しゃ》
読本
読点
本を読む
読読読読読読読

な

何（なに・なん）
→「カ」を見よう。

内 2 ④
△ナイ
（ダイ）
うち
年内　内心《しん》
内気　内がわ
内内内内

南 2 ⑨
△ナン
（ナ）
みなみ
南国　南北《ぼく》
南風
南南南南南南南

に

二 1 ②
ニ
ふた
ふた**つ**
二番　二年生
二口
二つ

肉 2 ⑥
ニク
牛肉　肉食
肉肉肉肉肉肉

日 1 ④
ニチ
△ジツ
ひ
か
日時　日曜日
本日　休《きゅう》日
夕日　日ざし
三日

入 1 ②
ニュウ
い**る**
い**れる**
はい**る**
入学　記入
気に入る
かごに入れる
ふろに入る

ね

年 1 ⑥
ネン
とし
学年　来年
年下　半年

は

羽（は・はね）
→「ウ」を見よう。

馬 2 ⑩
バ
うま
（ま）
馬車
竹馬　子馬
馬馬馬馬馬馬

売 2 ⑦
△バイ
うる
うれる
商売《しょう》　売店《てん》
本を売る
よく売れる本
売売売売売売

買 2 ⑫
△バイ
かう
売買《ばい》
ノートを買う
買買買買買買

白 1 ⑤
△ハク
（ビャク）
しろ
しろい
△しら
白紙　空白《くう》
白組　真《ま》っ白
白い息《いき》
白玉

麦 2 ⑦
（バク）
むぎ
麦茶　小麦
麦麦麦麦麦麦

八 1 ②
ハチ
や
やつ
やっつ
よう
八月　八まい
八重《え》ざくら
八つ当たり
八つ
八日

半 2 ⑤
ハン
△なかば
半分　前半
夏休みの半ば
半半半半半

番 2 ⑫
バン
番号《ごう》　交番
番番番番番番番

ひ

百 1 ⑥
ヒャク
百発《ぱつ》百中

ふ

父 2 ④
△フ
ちち
父母《ぼ》
父親
父父父父

風 2 ⑨
△フウ
（フ）
かぜ
△かざ
風船《せん》　強風《きょう》
春風　風通し
風上　風向《む》き
風風風風風風風

文 1 ④
ブン
モン
（ふみ）
文章《しょう》　文集《しゅう》
天文台　注文《ちゅう》

分 2 ④
ブン
△フン
△ブ
わける
わかれる
わかる
わかつ
水分　気分
五分間
五分五分
三人で分ける
道が分かれる
答えが分かる
苦労《くろう》を分かつ
分分分分

聞 2 ⑭
ブン
（モン）
きく
きこえる
新聞紙　見聞《けん》
話を聞く
声が聞こえる
聞聞聞聞聞聞聞

へ

米 2 ⑥
△ベイ
△マイ
こめ
米作　米国
白米《はく》　新米
米つぶ
米米米米米米

ほ

歩 2 ⑧
△ホ
（ブ）
（フ）
あるく
△あゆむ
歩道《どう》　歩行《こう》
家まで歩く
ゆっくり歩む
歩歩歩歩歩歩歩

母 2 ⑤
△ボ
はは
父母《ふ》　母校
母親
母母母母母

方 2 ④
ホウ
かた
方向《こう》　北の方
書き方
方方方方

北 2 ⑤
△ホク
きた
東北　南北《なん》
北国　北風
北北北北北

木 1 ④
△ボク
モク
き
△こ
大木　木刀《とう》
木曜日　木目
なみ木
木立　木かげ

本 1 ⑤
ホン
△もと
絵本　本当
本を正す

ま

毎 2 ⑥
マイ
毎日　毎回《かい》
毎毎毎毎毎毎

妹 2 ⑧
（マイ）
いもうと
妹と弟
妹妹妹妹妹妹妹

万 2 ③
マン
（バン）
一万円　万一
万万万

み

耳（みみ）
→「ジ」を見よう。

む

麦（むぎ）
→「バク」を見よう。

め

名 1 ⑥
メイ
△ミョウ
な
名人　名物《ぶつ》
名字
名ふだ　名前

め

明 2 ⑧

△メイ　明暗《あん》　発明《はっ》
△ミョウ　明朝
△あかり　月明かり
あかるい　明るい人がら
あかるむ　空が明るむ
あからむ　空が明らむ
△あきらか　明らかな事実《じつ》
あける　年が明ける
あく　らちが明かない
あくる　明くる日
あかす　真実《しん》を明かす

鳴 2 ⑭

△メイ　悲鳴《ひ》
なく　鳥が鳴く
なる　かねが鳴る
ならす　ベルを鳴らす

も

毛 2 ④

△モウ　毛筆《ひっ》
け　毛糸　わた毛

目 1 ⑤

△モク　目次《じ》　注目《ちゅう》
（ボク）
め　目をさます
（ま）

もん

門 2 ⑧

モン　校門　入門
（かど）

や

矢（や）→「シ」を見よう。

夜 2 ⑧

△ヤ　今夜
△よ　夜中　月夜
よる　昼と夜

野 2 ⑪

△ヤ　野草　野球《きゅう》
の　野山　野原

ゆ

夕（ゆう）→「セキ」を見よう。
弓（ゆみ）→「キュウ」を見よう。

友 2 ④

ユウ　親友　友人
とも　友だち

よ

用 2 ⑤

ヨウ　用事《じ》　用心《じん》
△もちいる　道具《どうぐ》を用いる

曜 2 ⑱

ヨウ　曜日

ら

来 2 ⑦

ライ　来客《きゃく》　来年
くる　夏が来る
（きたる）
（きたす）

り

里 2 ⑦

△リ　一里
さと　山里　里帰り

理 2 ⑪

リ　理科　理由《ゆう》

立 1 ⑤

△リツ　国立　起立《き》
（リュウ）
たつ　いすから立つ
たてる　計画《かく》を立てる

力 1 ②

△リョク　体力　実力《じっ》
△リキ　人力車　馬力
ちから　力こぶ

林 1 ⑧

△リン　森林《しん》
はやし　まつ林

ろ

六 1 ④

ロク　六人　六年生
む　六月目
むつ　六つ切り
むっつ　六つ
むい　六日

わ

話 2 ⑬

ワ　会話　電話
はなす　友だちと話す
はなし　昔話《むかし》　長話

「言葉《ことば》の森」あんない

ここには、学習《しゅう》を広げたり、ふかめたりする資料《しりょう》があります。さあ、森へのとびらを開《あ》けてみましょう。

●**聞き耳ずきん**（「三年とうげ」）

▼いろいろな地方の昔《むかし》話を楽しみましょう。そして、お話をおぼえて、だれかに聞かせてあげましょう。

聞き耳ずきん

上《かみ》笙一郎《しょういちろう》 再話《さい》
長野《ながの》ヒデ子《こ》 絵

昔《むかし》、ある海べの村に、一人《ひとり》のわかものが住《す》んでいましたって。わかものは、ふねを持《も》っていなかったので、毎日、はまで貝をほったり、わかめをひろったりしては、それを売ってくらしていました。まずしいけれど、目のきれいにすんだわかものでした。

ある夏の朝のこと、わかものがはまへ出てみると、岩場のちょっぽりした水たまりに、小さなたいが泳《およ》いでいました。おおかた、みちしおのときに、大ざめにでもおわれて、にげこんだのでしょう。今ではしおがすっかり引いて、水たまりから出られないのです。おてんとさまが頭の上に来たら、水たまりはにえくりかえって、小だいは死《し》んでしまうにちがいありません。

かわいそうに思ったわかものは、

再話
昔《むかし》話などを、言葉《ことば》や書き方をあらためて、今の読者《どくしゃ》に分かりやすいお話に仕《し》上げること。

「小だいや、小だい。父《とう》さんや母《かあ》さんが心配《しんぱい》しとるよ。早《はよ》う、お帰り。」

と言って、小だいを海へもどしてやりました。

次《つぎ》の日、はまへ出ると、見たことのないばあさまが、わかものをまっていました。

「わたしは、海の竜王《りゅうおう》さまの使《つか》いです。きのうは、ひめさまのいのちを助《たす》けてくださって、本当にありがとうございました。竜王さまから、あなたへのお礼《れい》にと、これをあずかってまいりました。」

ばあさまはそう言うと、古びたみすぼらしいずきんをとり出して、ぽかんとしているわかものの手ににぎらせました。そして、ていねいにおじぎをして、くるりと向《む》きをかえ、波《なみ》うちぎわまで歩い

てゆくと、あれ、あれ、ふしぎ、大きなかめのすがたになって、海の中へもどっていってしまいました。

「はて、きみょうなこともあるもんじゃ。あの小だいが、竜王さまのむすめさまとは。たいしたこともしとらんのに、こんなもんまでもろうてしもうた。ひとつ、かぶってみるかな。」

わかものは、ばあさまにもらったずきんをかぶってみました。うすよごれた、なんのかわりもないずきんです。わかものは、そのまま、いつものように、わき目もふらずはたらいて、いつしか、自分がずきんをかぶっていることをわすれてしまいました。

そうして、さて、家への帰り道でのことです。

「聞いたかい、聞いたかい。」

「何を、何をさ。」

とつぜん、頭の上からひそひそ声が聞こえてきました。

「おや、だれかな。」

わかものは、あたりを見回しましたが、だれもいません。道ばたの木に、すずめが二、三羽《わ》止まっているだけでした。

「あんたはどうだい、聞いたかい。」

「だから、何をさ。」

「町の長者《ちょうじゃ》どんのさ――。」

「長者どんの、何さ。」

わかものは、ふと、自分がずきんをかぶっているのに気づき、もっとよく聞こうと、それをとりました。すると、声はぷつんときえて、チュンチュン、チュクチュクと、すずめのさえずりが聞こえるだけになりました。

「なんだろう、気のせいかしらん。」

首をかしげたわかものが、もう一度《ど》ずきんをかぶると、ふたたび声が聞こえ始《はじ》めました。人の声のようでもあり、そうでないようでもあり、なんともふしぎなひびきでした。

「町の長者どんのひとりむすめがさ、重《おも》い病《びょう》気でさ。何人もの医者《いしゃ》にみせたが、どうにもならないんだって」。

「そのむすめさんからは、前に、あわつぶをもらったことがあるよ」。

「やさしいむすめさんだよ、ねえ」。

「どうして、そんなことになったものだか」。

「もの知りのからすどんなら、知ってるかもしれないね」。

すずめたちは、ぱっととび立って、行ってしまいました。すると、あたりはしんとしずまりました。

「ほう。これは、これは。このずきんをかぶると、鳥の言葉《ことば》が分かるようだ」。

わかものは、ずきんを手にとって、しげしげと見つめ、なで回したり、中をのぞきこんだりしました。

「さあて、それにしても――。」

ずきんをふしぎに思いながらも、わかものは、しだいに、むすめのことが心配になってきました。

「長者どんのむすめさんは、病気なんか。いつか、まつりのときにちらと見たっけが、ほんに、やさしげな人じゃった。なんて、かわいそうな。」

そうつぶやきながら家まで来ると、ちょうど、やねにからすが二羽止まったところでした。ずきんをかぶると、がらがら声の言葉が聞こえてきました。

「長者どんのむすめのぐあいは、どうじゃ。」

「それが、いっこうにようならん。ほんに、人間《げん》なんて、りこうそうにしとるが、そうでもないもんだ。あのむすめの病気は、医者ではなおらんに。」

「どうして、そんなになったんかね。」

「長者どんが、むすめのへやにと、はなれざしきをたてたろうが。そのとき、じゃまっけじゃといって、くすの大木《ぼく》を切ったんじゃ。」

「うん、うん、そんなことがあった。」

「そんでも、切りかぶはまだのこっておって、毎年春になると、そこからひょっこり芽《め》が出る。ところが、そのたんびに、せっかくの芽を庭《にわ》番がつんでしまうんじゃ。芽が出ちゃつまれ、芽が出ちゃつまれ、くすの木は、死のうにも死なれず、生きようにも生きられず、くるしんでおるんよ。」

「なんとも、あわれじゃのう。」

「そのくるしみが家につたわり、やさしいむすめにとつたわって、病気になったというわけじゃ。」

「どうにかしてやれんかのう。」

「木のことは、木でないとなあ。だれぞ、木の話が聞けるといいんじゃが。」

わかものは、くすの木も、むすめも、かわいそうでたまらなくなりました。いても立ってもおられなくなって、町の長者どんのやしきまでやって来ました。門

の前には立てふだが立っていて、

「むすめの病気をなおしてくれた人には、ほうび、のぞみどおり。」

と書いてありました。

わかものがやしきに入っていくと、集《あつ》まった人人は、

「名医の手にもあまる病気を、こんなきたないなりをしたわかものに、なおせるもんかい。」

とあざわらいました。しかし、わらにもすがりたい長者どんは、わかものをやしきに上げたのです。

はなれざしきへあんないされたわかものは、むすめを見るなり、むねがいっぱいになりました。やさしくふっくらとしていた顔が、やつれて、見るかげもありません。

むすめも、弱った目を開《あ》けて、わかものを見ました。むすめには、わかものの
そまつな身《み》なりは気にならず、きれいな目だけが見えました。わかものは、

「むすめさまの病気の根《ね》をつき止められんもんか、やってみますで、どうか、ひとばん、この庭にいさせてくだされ。」

と、長者どんにたのみました。

夕ぐれどきになると、わかものは、ずきんをかぶって暗《くら》い庭にすわり、長い間、目をつむっていました。けれど、いくらたっても、あたりはひっそりと、しずまりかえったままです。

「鳥の声は聞こえても、木の声は聞こえないのかしらん。」

そう思いかけた真夜《まよ》中ごろのことです。シューシュー、シューシューと、何か、音のような、声のような、ふしぎなひびきがかんじられました。地のそこからのような、そうかと思うと、頭の上からのようなひびきでした。

「おうや、くすの木どん。今夜《や》はどんなあんばいじゃな。ちいとは、ぐあいがえかのう。」

「おうよ、さくらの木どんか。いつも気にかけてくれて、あいすまんのう。」

「なんの、なんの。わしら、なんにもできんのが、くちおしゅうての。」

「まつの木どんも、ありがとうよ。こうして話をしておると、気がまぎれるでな。」

「それにしても、人間ちゅうもんは気が知れん。自分の都合《つごう》のいいときだけ、わしらを大事《じ》にする。」

まつの木の声は、シューシューと、まるでおこっているようです。わかものは、すわっている地面《じめん》が、ぶるぶるふるえているような気がしました。

「じゃが、あのむすめは、いつもやさしかったでな。ほかの人がわすれたときでも、ちゃんと気にかけて、水もくれたし、なでてもくれたし。」

くすの木の声は、きえ入りそうになってきました。

「元気出しなせい。思うぞんぶん芽をのばせる所《ところ》にうえかえてさえもらえれば、ずんずんのびて、また、元《もと》のようなりっぱな木になれるんじゃから。」

「おうよ。だれかが気づいてうえかえてくれるまで、もちっとだけ、しんぼうせいや。」

それきり、庭はしずかになりました。

次の朝です。わかものは、長者どんに言いました。

「ひさしの下のくすの木を、どうか、日当たりのええ、広い所にうえかえてやってくだされ。くすの木の切りかぶが、くるしんでおります。そればっかでねえ、それをほかの木が心配して、庭じゅうくろう《（暗く）》なっとるのが、ようないのです。」

長者どんは、さっそく、くすの木をうえかえさせました。すると、どうでしょう。青白かったむすめの顔が、ほんのりさくらの花びらの色になりました。

わかものは、それから毎日むすめをみまい、むすめが みるみる元気になっていくのを、自分のことのようによろこびました。やがて、むすめは、起《お》き上がれるようになりました。

長者どんは大よろこび。むすめの病気をなおしてくれたわかものが、すっかり気に入ってしまいました。むすめも、きれいな目をしたわかものを、すきになっていました。

二人《ふたり》はふうふとなり、いつまでも、なかよく幸《しあわ》せにくらしました。二人のやしきには、いつも木々や草花が美《うつく》しくそだち、鳥の歌声が聞かれましたって。

これで、なにからなにまで、めでたしめでたし。

上 笙一郎

一九三三年、埼玉県《さいたまけん》生まれ。子どものためのお話について研究《けんきゅう》している。

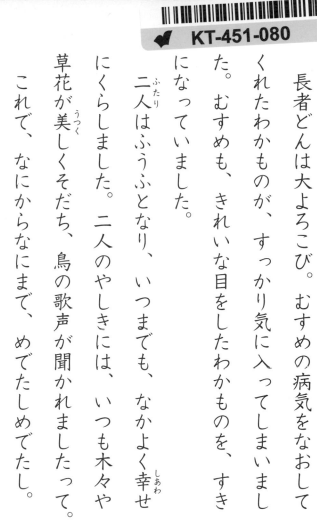